「いきなりで、ごめんね。
ずっと前から好きでした」

告白予行練習

原案／HoneyWorks
著／藤谷燈子　イラスト／ヤマコ

言った。ついに言ってしまった。
榎本夏樹《えのもとなつき》
高3。美術部所属。
長らく片思い中。

瀬戸口《せとぐち》 優《ゆう》
高3。映研所属。
夏樹の幼なじみ。
でも、これは…

告白予行練習だよ
はあ?練習!?
「本気と思った?」なんてね
本気になるよ?

えっ、え…
えええええ〜〜!!
ズビシッ
うう…
仕返し——
で
本番は誰にするんだよ

……
そんなこと
言えるわけ
ないでしょー
いってぇ!!
バシバシッ
ねーねー
練習つきあってよー
仕方ねーなー
やったぁ
その代り、ラーメン
おごれよ?

好き！ 好きです 好きなんだよーー
ほら！ もっと感情こめて
これが最後だから、練習させて
待って！

←震える声で伝えた気持ちの行方は——!?

告白予行練習

原案／HoneyWorks

著／藤谷燈子

18387

角川ビーンズ文庫

Kokuhakuyokorenshu

ents

本文イラスト／ヤマコ

cont

introduction　～イントロ～

「あれから、もう七年も経《た》つんだ……」

クローゼットの奥から顔をだした卒業アルバムを前にして、ぽつりと独り言がこぼれた。

表紙には、母校であり、いまは勤務先でもある「桜《さくらがおか》丘高校」の文字がつづられている。

「なつかしいなあ。デザイン、変わってなかったんだ」

先日、職員室で配られたばかりのアルバムと並べると、どちらが自分のものかわからなくなりそうだ。違いと言えば、少し日に焼けているくらいだろうか。

「卒業してから、なかなか開く機会もなかったなぁ」

ひさしぶりに中を開こうとするけれど、小さく震える指先が表紙をかするだけだった。

「……やだな、緊張しすぎじゃない？」

苦笑して、ふっと目を伏せる。

深呼吸したあと、ゆっくりとページをめくった。

「わっ、みんな若い！」

さすがに幼稚園や小学校時代のアルバムとは違い、「これは誰だろう？」と首を傾げることもない。それでも写真の中で笑う友人たちの表情は、どことなくあどけなかった。

自分も短い前髪に猫っ毛は変わらないが、いまよりずっとおとなしそうな表情をしている。

高校時代は女子三人、男子三人の六人グループでいることが多かった。

いまでも何かと顔を合わせ、思い出話に花を咲かせたり、近況を報告しあっている。

ただ一人を除いては。

「元気にしてるのかな……」

卒業以来会っていないけれど、思い出すのはいつだって太陽のように笑う姿だ。

目を閉じると、あざやかに高校時代がよみがえってくる。

まぶしくて、切なくて、いつだって全力だった日々が。

Natsuki Enomoto
榎本《えのもと》夏樹《なつき》
誕生日／6月27日
かに座
血液型／O型
運動とマンガを
描くことが大好き。
美術部所属。
優に片思い中だが、
なかなか素直になれない。

practice
~練習1~
1

☆practice 1☆ 〜練習1〜

きっかけは、一通の手紙だった。

幼なじみである瀬戸口《せとぐち》優《ゆう》の下駄箱《げたばこ》に入っていたそれは、いわゆるラブレターで。昼休みに体育館裏に呼び出され、ショートカットの可愛い後輩《こうはい》に告白されて教室に帰ってきた。

『受験もあるし、フツーに断ったよ』

淡々《たんたん》とした口調で告げられた事実に、夏樹《なつき》はほっと胸をなでおろした。

だがすぐに、心臓が暴れだした。なんでもないような素ぶりを見せる幼なじみの頬《ほお》は、これまでに見たこともないほど赤く染まっていたのだ。


（てっきり、優は恋《こい》とかそういうのに興味ないんだと思ってた……）

のみこんだ言葉は、放課後になっても夏樹の胸のあたりに漂《ただよ》っている。

ゲームやマンガ、部活に夢中だから。いままで恋バナなんてしたことがなかったから。そんな理由で、勝手に決めつけていただけなのだと思い知らされた。

今回は断ったけれど、次はわからない。

そう思った途端《とたん》、夏樹はもう逃《に》げられないと観念した。

（……今日こそ、告白するんだ！）


深呼吸をひとつして、夏樹は優の背中を見上げる。

下校時刻三十分前という中途半端《ちゅうとはんぱ》な時間帯、下駄箱には自分たち二人しかいない。

優と同じ映画研究部の部員で、共通の幼なじみでもある芹沢春輝《せりざわはるき》に協力してもらい、一人で帰るように仕向けてもらった。もっと正確にいえば、「いい加減じれったいんだよ！」と、半ば強引《ごういん》に二人きりになるようセッティングされたのだけど。


（……やばい、口から心臓が出そう……）

ぎゅっとワイシャツをにぎると、驚《おどろ》くほど鼓動《こどう》が速い。

スカートからのぞくジャージの下では、足もガクガクと震《ふる》えている。

（どうしよう、やっぱ明日《あした》にしようかな）

ちらりと、弱気な自分が顔をのぞかせる。

なんとか踏《ふ》み止《とど》まれたのは、幼なじみの照れた顔を思い出したからだ。

恋愛《れんあい》で重要なのはタイミングだと、頭ではわかっている。ためらっている間にすれ違《ちが》ってしまう二人を、少女マンガ《愛読書》でこれでもかと見てきた。


勇気一秒。

後悔《こうかい》は一生だ。

（——榎本《えのもと》夏樹、ただいまより作戦を実行します！）


「優！　ちょっといいかな？」

窓からさしこむ夕陽《ゆうひ》を浴びながら、夏樹は勢いよく声をかける。

ゆっくりと長身がふりかえり、不思議そうな顔の優と視線がかちあった。

「なんだよ、改まって……」


夏樹は声が震えないよう腹筋に力を入れ、ぐっと拳《こぶし》をにぎりしめて言う。

「いきなりで、ごめんね」

普段《ふだん》とは違う雰囲気《ふんいき》に、優にも緊張《きんちょう》が走るのがわかった。

息をのむ相手をまっすぐに見つめ、夏樹はもう何年もの間ためこんでいた言葉を告げる。

「ずっと前から好きでした」

言った。ついに言ってしまった。

鏡を見るまでもなく、顔に熱が集まっているのがわかる。

たまらず視線を外すと、今度は心臓の音が耳につく。さっきよりも大きくなっていて、このままでは優にも聞こえてしまうのではないかとさえ思う。

恐《おそ》る恐る顔をあげると、優はあっけにとられたように立ち尽《つ》くしていた。

パチリ、と視線があう。

優はまだ現実味がわかないのか、吐息《といき》まじりにつぶやく。

「……え？」

たった一言、それも疑問形だったけれど、充分《じゅうぶん》だった。

（ゆ、優が……照れてる……!?）

あの後輩女子に告白されたときより顔が赤く見えるのは、考えすぎだろうか。

予想外の反応に、夏樹も何も言えなくなってしまう。

(な、何か……何か言わないと……)

「な……な……」

視線を泳がせ、言葉を探すが、こぼれ落ちたのは意味をなさない音だった。

「な？」

まだ顔を赤くしたままの優が、不思議そうに首を傾《かし》げる。

一八〇センチ近いのに、かわいらしい仕草がやけに似合っていた。

(頭、なでたいなぁ……)

ふっと浮《う》かんだ言葉に、夏樹自身が驚いてしまう。わかってはいたが、自分は相当おかしくなっている。このままでは、確実に余計なことまで口走るだろう。

ボロが出る前にと、強引に話題をそらす。

「なーんつって！　んなわけなーいじゃーん、ビックリした？」

やらかした。

瞬間的《しゅんかん》にそう思った。

（いや、でも、いまのは戦略のひとつっていうか……）

脳裏《のうり》にひらめいた言葉に、夏樹はハッとする。

そう、恋愛も戦いだ。

だから、敵前逃亡《とうぼう》したわけではなく、これは次の作戦のための一時避難《ひなん》。

もっと言えば、今回の告白予行練習は奇襲《きしゅう》作戦なのだ。


優は目を見開き、夏樹の発言を噛《か》み砕《くだ》くように、まばたきを繰《く》り返している。

ややあって、やわらかな髪《かみ》をガシガシとかきながら、じろりとこちらに視線を送ってきた。

「なつき……。おまえなぁ」

あきれ半分、照れ半分といった声色《こわいろ》に、夏樹は小さく息をつく。

（よかった、冗談《じょうだん》だって信じてもらえた……よね？）

心臓が切なげな音を奏《かな》でたのは聞こえなかったふりをして、ニッと口角をあげる。

「いまのはさ、告白予行練習だよ」

「はぁ？　練習？」

「ねーねー、かわいい？　どきっとした？」

勢いに任せて優の顔をのぞきこむと、じとーっという視線が返ってくる。

こういうとき、何も言われないのは却《かえ》ってつらい。夏樹は慌《あわ》てて笑顔をひっこめた。


「そんな顔で見ないでよ。ごめんってば」

「本気になるよ？」

「……え？」


優の一言に、今度は夏樹が言葉を失う番だった。

ドクン、ドクンと、心臓がいっそ痛いくらいに鳴り響《ひび》く。

(いまのは冗談？　それとも……)


「うそだよ。仕返し」

にやっと笑ったかと思うと、優の手刀が額を目がけて飛んできた。

ズビシッと、まるでコントのように決まり、夏樹はたまらず悲鳴をあげる。

「ぎゃっ!?　ちょっと優、手加減はしよーよ！」

しかし抗議《こうぎ》はあっさりとスルーされ、いまだ仏頂面《ぶっちょうづら》の優が言う。

「で、本番は誰《だれ》にするんだよ」

「本番？　って、告白の？」

「そう。予行練習ってことは、ほかに本命がいるってことだろ」


とっさについた嘘《うそ》をあっさりと信じられ、夏樹はぐっと息がつまった。

予行練習だ、と言い出した自分が悪いのはわかっている。

だがそれでも、嘘でも冗談でも「ほかに本命がいる」なんて言われたくはなかった。

優にだけは。


夏樹は複雑な想《おも》いと本当の気持ちを抑《おさ》え、もう一度ぎゅっと拳をにぎりしめる。

同時に顔には満面の笑みをのせ、答えを待っている優の脇腹《わきばら》に一発お見舞《みま》いした。

「そんなこと、言えるわけないでしょー」

「いってえ！」

前屈《まえかが》みになった幼なじみと視線をあわせるように腰《こし》を折り、夏樹はいつもと変わらないフリをして、次の約束をとりつける。

「ねーねー、これからも練習つきあってよ」

「……仕方ねーなー。その代わり、ラーメンおごれよ？」

「えぇー、ケチ！」

「この俺を練習台にするんだから、安いもんだろー」

「うわ、自分で言っちゃう？」


お互《たが》いに好き勝手に言いあいながらも、最後はいつだって笑って終わる。特別決めたわけでもないのに、それが二人の間のルールみたいになっていた。

（でも今日は……なんだか……）

鈍《にぶ》い痛みにまじり、心臓が針で刺《さ》されたように泣いている。

（誰かを好きになるって大変なんだな。そして、本当の気持ちを伝えるのはもっと大変）


その日の夕焼けは、目にしみるほど赤かった。

放課後を告げるチャイムを聞きながら、夏樹は盛大にあくびをもらす。

（やばいなぁ……。数学の時間、爆睡《ばくすい》しちゃってたよ）

昨夜は早々にベッドに入ったが、夜中に何度も目が覚めてしまった。

おまけに、朝も昼も食事がのどを通らない。

（まるで恋《こい》する乙女《おとめ》みたいじゃない？　いや、実際そうなんだけど……）

予行練習とはいえ、昨日はついに、告白したのだから。

しかも相手は、長く片想いをしてきた幼なじみ。自分で思っていた以上に、ずっと緊張《きんちょう》していたのだろう。

（唯一《ゆいいつ》の救いは、いつも通りに話せてることだよね）

優とは家も近いし、教室での席も近い。というか、目の前だ。

授業中にプリントのやりとりをするときは、必ず顔をあわせることになる。爆睡中に先生に当てられそうになったら、それとなく起こしてあげることもできる距離《きょり》だ。

（……そういえば、今日は優もよく寝《ね》てた気がする）

めずらしく寝癖《ねぐせ》も残っていて、窓から入ってくる風に、ぴょこぴょこと揺《ゆ》れる姿に目を奪《うば》われた。本人に言えば妙《みょう》に気にしだすだろうから、決して言わないけれど。


「優ー、部室に直行する？」

昼休みも、放課後も、優の席にはいつも人が集まってくる。

いまも、もちたこと望月蒼太《もちづきそうた》が、仔犬《こいぬ》のように駆《か》け寄ってきた。

優と春輝、蒼太、そして夏樹の四人は幼なじみという名のくされ縁《えん》だった。

とくに男子たちは高校に入ってからも三人で映画研究部を立ち上げ、昔と変わらない距離感《きょりかん》でわちゃわちゃと過ごしている。


「俺は職員室寄ってくから、春輝と先に行ってて」

「夏期休暇《きゅうか》中の届け出がどうのってやつだろ？　なら、俺たちも話聞きに行くわ」

優の言葉に春輝は歯を見せ、真夏の太陽のように笑う。

「だね。そういうわけだから、しゅっぱーつ！」

蒼太も屈託《くったく》なくうなずいて、優の腕《うで》をとる。

二人にひきずられるようにして、優は教室を出ていった。

そんな後ろ姿を見送りながら、夏樹は思わず「いいなぁ」とつぶやく。

「男子の友情もいいけど、女子だって負けてないぞー？」

トントンと肩《かた》をつつかれたかと思うと、ふわふわと耳に心地《ここち》いい声が降ってきた。

「なっちゃん、私たちも部室に行こう？」

続いて、控《ひか》えめながら、おだやかでやさしい声に促《うなが》される。

「あかり、美桜《みおう》……」

ふりかえると、にこにこと笑顔《えがお》を見せる親友たちが立っていた。

黒髪《くろかみ》美少女の早坂《はやさか》あかりと、猫《ねこ》っ毛がかわいい合田《あいだ》美桜。二人とは高校からのつきあいだが、同じ美術部に入ってから、あっという間に意気投合した。

二人とは単に話があうだけでなく、お互いに支えあえる仲だと夏樹は思っている。

（わざわざ呼びに来てくれたのも、私が朝からぼんやりしてたからだよね……）

ありがとうと告げる代わりに、夏樹は思いきり口角をあげる。

「うん！　えりちゃん先生、もう美術室にいるかな？　遅《おく》れたら大変だ〜」

「先生、『今年こそ金賞を獲《と》りましょう！』ってはりきってるもんね」

「すごーい、美桜ちゃん似てるー」

バタバタと足音を立てながら、三人そろって廊下《ろうか》に出る。

どことなく慌《あわ》ただしいのは、夏休み明けに大きなコンクールが控えているからだ。


桜丘高校の美術部といえば、設立以来、賞を獲らなかった年がないといわれている。

けれど、部活はスパルタとはほど遠い。

顧問《こもん》の松川《まつかわ》先生にしても、受賞のためのテクニックではなく、思い描《えが》いた作品により近づけるためのアドバイスをするというスタンスを崩《くず》さない。純粋《じゅんすい》に、創作活動を楽しめる環境《かんきょう》をつくってくれていると夏樹は感じてきた。


中でも、部長のあかりと副部長の美桜は、才能をおしみなく発揮している。

前任の部長、副部長が次代を選ぶことになっているが、表彰《ひょうしょう》経験が多い二人は、満場一致《まんじょういっち》で迎《むか》えられた。

一方で、もともと絵画や陶芸《とうげい》、彫刻《ちょうこく》などには興味がない部員もたくさんいる。マンガ研究会がないため、イラストやマンガを描《か》きたい生徒が広く集まってくるからだ。

そちらのタイプは自宅で作業することが多く、幽霊《ゆうれい》部員がほとんどだった。

夏樹は、出席率は高いが、立場的にはどっちつかずかもしれない。

マンガを描くことも、大きなキャンバスに向かうのも好きだった。

それぞれ違《ちが》っていて、どっちが好きなのかと聞かれても答えようがない。たとえるなら、あんこと生クリームを天秤《てんびん》にかけるようなものだ。

（どっちも好きだから、どっちもやりたい。それでいいと思ってたけど……）

正直にいえば、最近は部活内での自分の立ち位置に悩《なや》んでいた。

自分はあかりや美桜とは違う。結局は中途半端《ちゅうとはんぱ》になっていないだろうか、と。

❤　❤　❤　❤　❤

美術室には、一年生と二年生が数名いるだけだった。

黒板の隅《すみ》に「今日は出張です。また明日《あした》」という走り書きを見つけ、美桜が肩を落とす。

「残念、先生いないんだ……。色みの相談がしたかったんだけどな」

「美桜ちゃん、いよいよ佳境《かきょう》だもんね」

イーゼルに載《の》せられたキャンバスをのぞきこみ、あかりが感嘆《かんたん》の声をあげる。

「今回は五十号にしちゃったから、まだまだ描きこみ不足だよ。あかりちゃんは……」

絵の具を用意する手を止め、美桜があかりの手元を見やる。そこには昨日と同じく、スケッチブックと鉛筆《えんぴつ》、消しゴムが並んでいるだけだった。

あかりは肩をすくめ、「えへへ」と苦笑いする。

「それがね、まだアイデアが降りてこないんだぁ」

「あかりちゃんはスイッチが入ったら早いから、大丈夫《だいじょうぶ》だよ」


(……私も、二人みたいに才能があったらな)

夏樹は机に頬杖《ほおづえ》をつきながら、ぼんやりと親友たちの会話に耳を傾《かたむ》けていた。

自分自身もコンクールに出品するのに、キャンバスはおろかスケッチブックもまっさらだ。

コツコツ型の美桜はもとより、アイデア待ちだと言っているあかりも、スケッチブックにはおびただしい数のラフが描かれていることを知っている。

本当の意味で、何も形にできていないのは夏樹だけなのだ。

「そういえば……。なっちゃん、昨日、瀬戸口君に言えた？」

ふいにあかりに呼びかけられ、夏樹は小さく肩を揺らした。

「あ。実は私も気になってた。でも、教室で聞けるような話じゃないなって思って」

忙《いそが》しく動いていた筆が止まり、美桜も遠慮《えんりょ》がちに会話に参加してくる。

「好きな人と同じクラスでうれしいけど、そこが不便だー」

こうもきっぱりと「好きな人」と言葉にされると、急にはずかしくなってくる。

夏樹は顔に熱が集まるのを感じたが、昨日のやりとりが思いだされて一気に頭が冷えた。

「はああ～……。それが聞いてくださいよー」

「なんだね、言ってみたまえ」

夏樹の芝居《しばい》に、あかりもわざわざ声色《こわいろ》を変えて乗ってくれる。たまらず美桜も笑いだし、すっかり場の空気がなごやかになった。

深刻ぶらずに済んだことにホッとし、夏樹は明るい調子で冗談《じょうだん》まじりの報告をする。

告白はできたけれど、あくまでも予行練習だと言ってしまったこと。

その言葉を信じた優は、これからも練習につきあってくれること。


話を聞き終えた美桜とあかりは、仲良くそろって口をあんぐりと開けていた。

「……告白予行練習って、また思い切ったことしたんだね」

短めの前髪《まえがみ》からのぞく美桜の円い瞳《ひとみ》が、ぱちりぱちりとまたたく。

夏樹はあいまいに笑い返しながら言う。

「そのまま帰りに、駅前のラーメン食べに行ったんだー。おいしかったなあ」


駅前のラーメンという単語に、あかりがぴくりと反応した。

机に身を乗り出し、「もしかして新しくできたところ？」と目を光らせる。

「あそこ当たりなんだ、よかったね！」

「私のおごりだったけどね。って、ダメじゃーん！」

自主ツッコミし、頭を抱《かか》える夏樹に、あかりは真剣《しんけん》な表情で深くうなずく。

「たしかに、毎回おごるとなると大変だよね」

「あかりちゃん、問題はそこじゃないと思うの……」

しっかり者らしい冷静な美桜の指摘《してき》に、夏樹も落ちつきを取り戻《もど》した。

コホンと咳払《せきばら》いし、改めて何をしたかったのか説明しようとする。

「告白予行練習したのは、女子って認識《にんしき》されたかったからで……。とかいって、カウンターでラーメンすすってたら、いままでと一緒《いっしょ》じゃん！　また『性別・夏樹』って言われるー！」

すぐにいたたまれなくなり、最後はほとんど雄叫《おたけ》びになっていた。

イスから立ち上がり「ぬあああ」と悶絶《もんぜつ》する夏樹に、あかりがまぶしい笑顔《えがお》を見せる。

「大丈夫だよ。なっちゃん、黙《だま》ってれば可愛《かわい》いんだから」

「フォローになってるようで、なってなーい！」

「とりあえず落ち着こう？　ほら、足閉じて」

ガニ股《また》になっていた夏樹の脚《あし》を、美桜の白くて細い指がそっと閉じさせた。ぱっと見ただけでも、爪《つめ》の先まで手入れが行き届いているのがわかる。

（女の子の手だなぁ……）

見た目だけでなく、中身も女子なのが美桜だ。スカート姿だということを忘れて動き回る夏樹に、下にジャージをはくよう勧《すす》めたのも彼女だった。

「……そういう美桜は、春輝とどうなの？」

親友と幼なじみがいい雰囲気《ふんいき》なのは、夏樹にとっても気になるところだった。

二人はクラスも違うし、選択《せんたく》教科がかぶっているわけでもない。接点といえば、休み時間などに春輝が蒼太や優に会いに来るタイミングくらいのものだったはずだ。

（それがいまじゃ、毎日のように一緒に帰ってるっていうね）


以前、それとなく春輝にも聞いたことがあった。

明朗快活な彼にしてはめずらしく視線を泳がせ、はぐらかすような答えが返ってきた。

「まあ、なりゆきで？」とか。

（あのとき、これは何かあるなって直感したんだよね……）

そもそも春輝は、面倒見《めんどうみ》がよくて兄貴肌《はだ》ではあるが、女子に対しては一線をひいている。つるむのは男子ばかりで、唯一《ゆいいつ》の例外は幼なじみの夏樹くらいのものだ。

美桜とは話があうと言っていたけれど、きっとそれだけではないだろう。

対する美桜も、春輝との関係を指摘され、急にそわそわと落ち着かない様子になる。

「えっ!?　わ、私は、別に普通《ふつう》だよ？」

「普通って?」

間髪《かんはつ》をいれずに聞き返す夏樹に、美桜はいよいよ顔を赤く染めた。

「普通は普通っ！　あかりちゃんは?」

美桜は声を裏返しながら、露骨《ろこつ》に話題をそらす。

飛び火したあかりは「え?」と目を丸くはしたが、すぐに朗《ほが》らかな調子で言う。

「いまは私のことより、なっちゃんの告白作戦を考えないとね」

言うが早いか、あかりはスケッチブックに鉛筆を走らせる。

〝告白作戦パート２〟の文字が見えて、夏樹は鼻の奥がつんとするのを感じた。

「あかりちゃん、ありがとう。私、あきらめずに……」


「ゆきちゃーん！　私たちも手伝うよ?」

「雑草を抜《ぬ》けばいいの?」


夏樹の決意表明をかき消すように、開け放った窓から黄色い声が飛びこんできた。

何事だろうと顔を見あわせ、三人そろって窓へと駆《か》け寄る。

「結構な悲鳴だったよね。まさか、芸能人?　撮影《さつえい》?」

浮《う》き足立った気持ちで外を見ると、花壇《かだん》の前に人だかりができていた。

女子たちの輪の中心にいるのは——。

「あれって、綾瀬《あやせ》君だよね？　ほんと、すっかり人気者だぁー」

「髪《かみ》を切ってから、ずいぶん雰囲気変わったもんね」

クラスメイトである綾瀬恋雪《こゆき》の変貌《へんぼう》に、あかりも美桜も素直《すなお》に驚《おどろ》いている。

大胆《だいたん》にイメージを変えると注目を集めるのが普通だが、当の本人が人見知りな性格のため、なかなか話題にしづらいところがあった。同じクラスにいても彼の声を聞く機会はほとんどないのだから、当然といえば当然だろう。


（あかりも意外と初対面はダメなほうだけど、愛想《あいそ》がいいし、笑顔を絶やさないからなぁ）

美桜も春輝を除き、男子とはあまりしゃべるほうではなかった。夏樹が一緒にいれば、優や蒼太とも会話するが、自分から話しかけていくタイプではない。

（こゆき君、いい人なのに……。もったいなーい！）

マンガの貸し借りをしている夏樹としては、なんとも歯がゆい状況《じょうきょう》だった。

だから、ついつい彼のことを語るときは熱くなる。

「長かった前髪を切って、眼鏡をコンタクトに変えたら、実はカッコよかった！　なんて、最近の少女マンガでもなかなかいないよね。こゆき君、すごいよー」

「なっちゃん、感動するのそこなんだ」

苦笑《くしょう》する美桜に、「そういえば」とあかりが続ける。

「二人でマンガの貸し借りしてるよね。席も近いし、結構話してなかった？」

ぽやっとしているようで、あかりは人をよく見ている。

夏樹は感心しながら、いきなり脚光《きゃっこう》を浴びることになったクラスメイトの苦悩《くのう》を語りだす。

「こゆき君ってね、やさしくて、本当にいい人なんだよ。だから部活にまで押しかけられて本当は困ってるんだけど、傷つけずに断るにはどうしたらいいか悩《なや》んじゃってるみたい」

「……難しい問題だね」

美桜は実際にあれこれ対策を考えていたようで、返事があるまでに間が空いた。

夏樹も名案が浮かばずに眉《まゆ》をさげてうなずく。

「それにしても綾瀬君、なんで急に髪を切ったんだろう？　高校生活最後の夏休みを前に、キャラ変したかったってこと？」

天然ゆえの直球すぎるあかりの発言に、さすがの夏樹も「ははは」と笑うしかない。

美桜だけは何か気になることがあるのか、ぼそりとつぶやいた。

「……本当に、それだけなのかな」

❤ ❤ ❤ ❤ ❤

疑問と課題で埋《う》まっていくホワイトボードから視線を外し、優は天井《てんじょう》を仰《あお》ぎ見る。

議題は、卒業制作も兼《か》ねた新作の映画についてだ。


ヒロインが主人公に告白しようと思った理由は？

そもそも、なんで彼女は彼を好きになったのか？


赤丸で囲まれた文字たちは映画の中のできごとなのに、容赦《ようしゃ》なく胸に突《つ》き刺《さ》さってくる。

昨日からずっと、夏樹の「告白」が頭から離《はな》れないでいた。

（予行練習って……。よりにもよって、なんで俺なんだよ）

予行ということは、本番があるということだ。

そして練習相手である優は、最初から本命候補ではない。

考えごとをするポーズをとりながら、一緒《いっしょ》に机を囲む顔を盗《ぬす》み見る。

(なつきが俺以外につるんでいる男子っていったら、こいつらになるけど……)

芹沢春輝、望月蒼太、ここにはいない紅一点の榎本夏樹。性別を意識する前から四人でつるんできたし、幼なじみという事実は、この先もずっとついて回るものだ。

そのことに不満はないし、高校に入ったからといって、慌《あわ》てて距離《きょり》をとるような関係でもない。いまさら他人行儀《たにんぎょうぎ》に接したりすれば、もれなく鳥肌ものだ。

とはいえ、しみついた身内感覚は諸刃《もろは》の刃《やいば》にもなる。

これまで優は、冗談《じょうだん》半分照れ半分で「性別・夏樹」などとからかってきた。

それがいまとなっては、全部自分に返ってくる。隣《となり》にいるのが当たり前すぎて、夏樹にとっても「性別・優」になっていないだろうか。

告白予行練習の相手に選ばれた以上、少なくとも男としては認識《にんしき》されているだろうが、恋人《こいびと》候補にエントリーすらさせてもらえなかったのではないかと思う。

(ただの幼なじみを卒業するのって、こんなに大変なもんなのか……)

思わずため息をもらすと、隣に座る蒼太が耳ざとく反応した。

「優って、なんだかんだマジメだよね。そんな深刻に考えなくてもいいんじゃない？」

いま考えていた夏樹のことを言い当てられたかのようで、ひやりとする。

だが視界の端《はし》に映りこんだホワイドボードに、映画の話だったと思いだす。動揺《どうよう》を悟《さと》られないようにと祈《いの》りながら、優はゆっくりと口を開く。

「……いや、でも、ヒロインの心の動きって重要だろ？　やっぱちゃんと考えないとでしょ」

「それはそうなんだけどさ、優って基本、バラエティの人じゃん」


蒼太の言うことも、一理ある。

優はハリウッドの大作やコメディ映画が大好きで、恋愛《れんあい》ものはいまいちピンとこない。対する蒼太はジャンルを問わず幅広《はばひろ》く観《み》るタイプで、とくに恋愛ものには目がなかった。お気に入りの作品は、脚本《きゃくほん》集やDVDを買いそろえるコレクター気質でもある。

春輝は、二人とは違《ちが》った。いわゆる単館系と呼ばれるようなエッジの効いた作品を好んで観ている。実際に映画館に足を運ぶ回数は、三人の中では一番だった。

顧問《こもん》に「三人で一本撮《と》ることにしました」と報告に行った際も、第一声は「大丈夫《だいじょうぶ》なの？」だった。あまりに深刻な声に当時はふきだしてしまったけれど、その気持ちはよくわかる。

事実、テーマ決めは難航した。

最終的に恋愛ものでいこうと決まったのは、春輝の鶴《つる》の一声だった。

『まだ撮ったことないし、一度やっておくか』

蒼太の案に反対していた優も、春輝に言われてしまえば逆らえない。

何しろ、映画研究部をつくった動機が、彼の才能に惚《ほ》れこんでのことだったのだから。

はじまりは、二年前の高校一年生の秋。

春輝がネットでひっそりと公開していたショートフィルムが、夏休み中の間に、生徒たちの間でじわじわと広がりを見せた。やがて噂《うわさ》を聞きつけた評論家の目に留まり、ブログや雑誌でとりあげられたことで、一層多くの人の目にふれることになった。

（あいつ、最初は『映画づくりは趣味《しゅみ》のひとつだ』なんて言ってたんだよな）

照れ隠《かく》しだったのかもしれないが、フィルムを観たあとでは、優も蒼太もどうにかして次作を撮ってもらおうと必死になっていた。春輝の映画に、すっかりハマってしまったのだ。

勢いで立ち上げた同好会も、翌年には後輩《こうはい》たちが加わり、正式に部に昇格《しょうかく》。前後して春輝の作品が賞を獲《と》り、学校からそれなりの額の部費も出るようになった。

環境《かんきょう》が整ったことで、春輝はますます精力的に映画を撮っている。


（女子にも人気あるし、もしかしてなつきも……）

ちらりと、正面に座る春輝へと視線を送る。

普段《ふだん》のライオンのように悠々《ゆうゆう》とした雰囲気《ふんいき》とは違い、さっきから黙《だま》って腕《うで》を組んだまま、ピリピリとした緊張感《きんちょうかん》を放っていた。

優と蒼太の会話も耳には入っているのだろうが、微動《びどう》だにしない。

（すごい集中力だな……。頭の中、どうなってるんだ？）


視線に気づいたのか、ふいに春輝がこちらに顔を向けた。

（違う、俺じゃなくて……）

ホワイトボードの一点を見つめ、もごもごと口が動いている。

次の瞬間《しゅんかん》、春輝が勢いよく立ち上がり、座っていたイスが派手な音と共に倒《たお》れた。

「わかった！　何が足りないって、絵だ」

歓喜《かんき》の声をあげる春輝に、優と蒼太がそろって首を傾《かし》げる。

「足りないって、どこに？」

「絵？　なんの？」

春輝は閃《ひらめ》いた結果だけ口にするクセがあり、周りの人間はしょっちゅうポカンとさせられる。

慣れている二人でも、思考回路をたどるのは至難の業《わざ》だ。

優たちの質問には答えず、春輝が苛立《いらだ》たしげに舌打ちする。

「なんで思いつかなかったんだ？　こんだけ材料そろってたら、ほかに答えはないだろ」

自分に腹を立てているらしく、ため息をつきながら額に手を当てた。

芝居《しばい》がかった言動に見えるけれど、計算でもなんでもなく、自然と出てしまうのだということを、優も蒼太も知っている。それだけ映画づくりに集中し、全力を注いでいるのだ。

（ほんと、すごい奴《やつ》だよ……）

圧倒《あっとう》され固まった体を動かしながら、優はアイデアが逃《に》げないうちにとメモを手にとる。

「絵はヒロインが描《か》くんだよな？　となると、演劇部から美術部に変えるってことか」

「ああ。キャンバスの中では、素直《すなお》でいられる奴なんだよ」

現実に見知っている相手のように語ってみせる春輝に、ボールペンを走らせていた手が止まる。どうやら彼の頭の中では、すでにヒロインがしゃべりはじめているらしい。

春輝の案に触発《しょくはつ》されたように、蒼太も興奮気味に話しだす。

「だったら最初のシーンで、もうキャンバスを見せておかないとだね。そのときは真っ白だったものが、主人公と過ごす時間が増えるごとにあざやかになっていくっていう」

「そうそう！　下手に言葉を重ねるより、ビジュアルで見せたほうがインパクトあるしな。観客に伝わるものも、ぐっと増えると思う」


（もちたも、こういう話になると途端《とたん》にイキイキするよなぁ）

二人の会話を必死にまとめながら、優は感心する。

以前は、才能を「見せつけられている」ような気がして焦《あせ》ったこともあった。

だが、自分には彼らのような情熱も才能もないことを思い知ったあとでは、そんな仄暗《ほのぐら》い想《おも》いは薄《うす》まっていった。きれいさっぱり消えたわけではないが、つきあうコツを会得《えとく》したのだ。

秘密基地で遊んでいたときのように、なんでもかんでも競《きそ》わなくていい。

うらやましい、と素直に認めればいいだけだ。

間違《まちが》っても、妬《ねた》ましいなんて思うようになったらお終《しま》いなのだから。


「――構想はそれでいいとして、どうやって絵を用意するかだよな」

気がつくと、春輝と蒼太は怒濤《どとう》のアイデア出しを終えていた。

(聞き逃《のが》した分は、あとで紙に落としこんだときに加えてもらおう)

このあとの作業のことを考えながら、もう半分で絵の調達方法について考える。

後輩の中には、小道具などの美術を専門に手掛《てが》ける器用な人間もいる。だが二人が彼の名前を挙げないということは、イメージにあわないと思っているのだろう。

(もっとこう、恋《こい》してます！　女子です！　ってのがほしいんだろうな……)

そこまで考えて、ふと夏樹の顔が脳裏《のうり》に浮《う》かんだ。

昨日、練習ではあったが、告白してきた彼女は間違いなく「恋する女子」だった。

いっそ、知らない人に見えるくらいに。

「……夏樹に、美術部に声かけるのはアリなんじゃん？」

優のつぶやきに、二人が弾《はじ》かれたように顔をあげる。

そして同時に「それだ！」と叫《さけ》んだ。

「さすが優、人脈のある奴は発想が違うな」

「おまえにもあるだろ？　相手は夏樹なんだから」

「ああ、そういう意味じゃなくて……。つか、俺が日本語間違《まちが》えたのか？　要はさ、人当たりが良くて顔の広い奴は、適材適所って発想が初期設定されてるってこと」

なんとなく言いたいことはわかるが、素直に受け止めるには少し気恥《きは》ずかしかった。

反応に困っていると、くすくすと笑いながら蒼太が言い換《か》える。

「きちんと周りを頼《たよ》れる、ってことじゃない？」

「いやいや！　それってつまり、すぐ人を当てにするってことだろ？」

「周りを頼るってことはさ、俺のことも頼っていいですよって意思表示でもあると思うんだよね。自分だけで全部やっつけようとする人には、声かけにくいだろ？」

今度こそストレートに言葉が投げこまれ、優はたまらずうつむいた。

春輝も蒼太と一緒《いっしょ》になって、「そこが優の持ち味だよな」と満足げにうなずいている。

（か、勘弁《かんべん》してくれ……）

話題を変えよう。でないと、憤死《ふんし》する。

とくにプランもないまま優が衝動《しょうどう》的に口を開いた矢先、部室のドアがノックされた。

（た、助かった！）

ドアを開けようと腰《こし》を浮かせたが、もしかしてと思いとどまる。

蒼太も腕《うで》時計《どけい》を見やり、来客に思い当たったのか「ああ」とつぶやいた。

「お迎《むか》えが来たみたいだね」

思わせぶりな笑顔《えがお》を向けられ、春輝がむすっとした顔になる。

（っとに、もちたもこりないなぁ）

優が肩《かた》をすくめたのが合図だったかのように、春輝が蒼太にデコピンをお見舞《みま》いした。

「痛っ！」

「帰りに話つけとくわ」

蒼太のことは華麗《かれい》にスルーして、鞄《かばん》を肩にかけた春輝がドアへと向かう。

ガガッ、ガゴッン。

立てつけの悪いドアが、相変わらずの騒音《そうおん》と共に開く。

何気なく視線を送ると、忠犬ハチ公よろしく合田美桜が立っていた。

「……気をつけてな」

どことなくうれしそうな春輝の背中に声をかけると、ひらひらと手がふられた。

再び騒音を立てながらドアが閉まり、脱力《だつりょく》したように蒼太が机につっぷす。

「あのドア、合田には絶対開けさせないよな」

感心したような蒼太のつぶやきに、同じく気づいていた優がうなずく。

「女子でも開けられないことはないだろうけど、やっぱ重たいからな」

「春輝って、そういうとこ漢前《オトコマエ》だよなぁ」

「……あいつらって、つきあってんのかな？」

「しんなーい」

まだ机と仲良くしたまま、蒼太が投げやりに答える。

（めずらしいな。もちた、恋愛《れんあい》の話になると食いつきいいのに）

それとなく理由を聞いてみようかと思った矢先、蒼太のほうから声をかけられた。

「優〜……。長続きする、たったひとつの愛って知ってる？」

「あ、愛？」

思いもよらぬ方向から飛んできた質問に、優は目を白黒させる。

端《はな》から答えは求めていなかったのか、蒼太は自分から正解を告げた。

「それは『片想《かたおも》い』なんだってさ」


片想い。

口の中で繰《く》り返すと、ぎゅっと心臓がつかまれたように痛んだ。

その痛みで、夏樹への想いを自覚させられる。


（……たしかに片想いなら、長続きはするよな）

告白しても、必ず結ばれるとは限らない。

晴れて両想いになったとしても、いつまで続くかは未知数だ。

（何かの本で読んだけど、恋人《こいびと》が三ヶ月、夫婦《ふうふ》なら三年が賞味期限なんだっけ）

恋愛に関《かか》わる脳内物質が、ちょうどその頃《ころ》に効果が切れるからだという。個人差はあるらしいが、妙《みょう》に説得力があるなと思ったのも事実だった。

片想いならば、あとは自分の心がけ次第《しだい》だ。

好きなだけ相手を想っていられるし、自分のタイミングで終わることもできる。

(ちょっとさびしい気もするけど、それもひとつの答えなのかな……)

きっと蒼太も、同じような思いなのだろう。

いつからとは聞いたことがなかったが、彼も片想いの真っ只中《ただなか》だ。


蒼太の想い人、早坂あかりは、夏樹と美桜の親友でもある。

だから何かと話す機会があるのだが、なぜか蒼太は彼女の前で貝になってしまう。

本人いわく、「あかりん、かわいすぎ……。緊張《きんちょう》する、無理……」ということらしい。

あからさますぎて春輝と優は苦笑《くしょう》してしまうのだが、当の早坂は天然ということもあってか、まるで気づいていないようだった。


(早坂って、ちょっと不思議ちゃん入ってる気もするしなぁ)

数々の受賞歴を誇《ほこ》る美術部の部長という肩書《かたが》きも手伝ってか、周囲からは「よくわからないけど、なんだかスゴイらしい」という扱《あつか》いだ。才能が有り余っているのか、時折、信じられないような大胆《だいたん》な行動に出るあたりは春輝とよく似ている。

男子の間では「黙《だま》っていれば美少女」というポジションで落ち着いているが、密《ひそ》かに狙《ねら》っている輩《やから》も少なくないと聞く。それこそ学年問わず、だ。

もっとも本人は、夏樹に聞く限り「恋《こい》より友情！　美術！」というスタンスらしいが。

「……早坂と、なんかあったのか？」

話くらい聞くぞという思いで放った言葉だったが、蒼太をさらに撃沈《げきちん》させてしまった。

机と額がぶつかる鈍《にぶ》い音が響《ひび》き、虚《うつ》ろな声が聞こえてくる。

「そうだねぇ、何かあればいいよねぇ……」

「あー、うん。わかった、わかったから、もうしゃべんな」

蒼太の肩をぽんと叩《たた》き、帰り支度《じたく》をはじめようと席を立つ。

開けっ放しの窓に向かうと、外からにぎやかな声が聞こえてきた。

「うーわー。綾瀬の奴《やつ》、大丈夫《だいじょうぶ》か……」

「何、ゆっきーがどうかしたの？」

よろよろと立ち上がり、蒼太も窓際《まどぎわ》にやってくる。

優は場所を空けながら、「あれ」と指をさす。

どこか焦点《しょうてん》のあわなかった蒼太の瞳《ひとみ》が、真下の光景にぎょっとなる。

「あちゃー、めちゃくちゃ女子に囲まれてる……。あれじゃ、部活どころじゃないよね」

「ん？　あいつ、帰宅部じゃないのか？」

「最近になって入ったんだよ。園芸部だってさ」

「ふーん……。やっぱ全国模試でも上位に入るくらいだと、余裕《よゆう》なんだな」


言ってから、失敗したと気がついた。

声に棘《とげ》があるし、言葉選びも嫌《いや》みっぽく聞こえたはずだ。

心配になって蒼太の横顔を盗《ぬす》み見ると、運悪くバッチリ視線があってしまった。

「めずらしいね、優がそんな風に言うの。なつきと仲がいいの、気になる？」

「そんなんじゃないって！」

反射的に答えてしまい、優はますます頭を抱《かか》えたい衝動《しょうどう》に襲《おそ》われた。

友人の露骨《ろこつ》すぎるリアクションに、蒼太は苦笑するばかりだ。

綾瀬恋雪とはあまり話したことがないが、夏樹とマンガの趣味《しゅみ》があうことは知っている。

優も、妹の雛《ひな》や夏樹の影響《えいきょう》で幅広《はばひろ》く読むほうではあるが、出版社や雑誌ごとの特徴《とくちょう》なんていうコアな話で盛り上がられるとお手上げだ。カヤの外に追いやられることも多く、恋雪と夏樹が話しているときは極力距離《きょり》を置くようにしている。

（本人は別にイヤな奴じゃないんだけど、なんかひっかかるんだよな……）


まじまじと観察するような視線を送る優の横で、蒼太はまぶしそうに目を細めている。

「理由はなんにしろ、ああやって自分を変えられるのってスゴイよね」

言いながら、蒼太は窓の桟《さん》に頬杖《ほおづえ》をつく。

視線は変わらず恋雪に向けられているが、実際は別のことを考えているのだろう。


「俺は、もちたはもちたのままでいいと思うけどな」

言い逃《に》げするように、優は鞄《かばん》をとりに机に戻《もど》る。

蒼太はあっけにとられていたが、すぐに「優、いまのもっかい！」と叫《さけ》びだす。

「幻聴《げんちょう》でも聞いたのか？　窓とカーテン、よろしくー」

「もう、優の照れ屋さん！」

「……部室の鍵《かぎ》は、部長であるこの俺の手に握《にぎ》られてるってこと忘れたのか？」

「わーっ、いますぐに！　だから閉じこめないでぇええ」

我ながらアホみたいなことをしているな、と優は内心苦笑する。
だがこのノリが心地《ここち》いいことも事実だった。

才能とか恋とか、自分じゃままならないものと対峙《たいじ》し続けるのは想像以上につらい。
（それでも簡単にあきらめられないんだから、どうしようもないよな……）

Yu Setoguchi

瀬戸口《せとぐち》 優《ゆう》

誕生日／7月11日
かに座
血液型／AB型

夏樹の幼なじみ。
映画研究部所属。
やさしい人柄で、
クラスを超えた人気者。
妹が一人。

practice
～練習2～
2

practice 2 ～練習２～

告白予行練習から二日後、夏樹は自室のカレンダーとにらみあっていた。

（どうしよう、やっぱり何度見ても土曜日だ……）

自分でも矛盾《むじゅん》しているのはわかっている。曜日感覚があったから明け方までマンガを描《か》いていたし、昼過ぎに起きても慌《あわ》てたりしなかった。

だが、こうして改めてつきつけられると、意識せざるをえない。

練習とはいえ、告白してからはじめての週末なのだと。


遮光《しゃこう》カーテンをめくれば、向かいの二階にある優の部屋が見える。

家が隣同士《となりどうし》で、母親たちも仲がいいため、幼い頃《ころ》から互《たが》いの家を頻繁《ひんぱん》に行き来していた。

それは高校生になったいまでも変わらず、週末のどちらかを一緒《いっしょ》に過ごすことが半ば習慣になっている。夏樹が勉強を教わりに行く、という名目付きで。

（会いたいから会いにきちゃった、とか言えるキャラじゃないしなぁ）

ため息をひとつこぼし、夏樹は机の端《はし》に追いやった数学の課題をつまみあげる。

「仕方ない、行きますか」

♥ ♥ ♥ ♥ ♥

気合いを入れて向かったものの、あいにく優は外出中だった。

ほっとしたような、残念なような複雑な気持ちに、夏樹は思わず苦笑いになる。

「そっか……。なら、今日のところは帰ろうかな」

「ええー？　すぐ帰ってくると思うから、ゲームして待ってようよ」

そう言って口を尖《とが》らせるのは、優の妹の雛《ひな》だ。

夏樹の弟と同じ高校一年生だが、「妹」という存在はとにかくかわいい。仔猫《こねこ》のようにじゃれつかれてしまうと、凹《へこ》んでいた気持ちが急浮上《きゅうふじょう》させられる。

「いいよ。レベル上げ？　対戦？」

「りょーほー！」

無邪気《むじゃき》に笑う雛に、少しだけ緊張《きんちょう》を覚える。

たれ目がちな瞳《ひとみ》がうれしそうに笑うたび、優の顔がちらつくからだ。

(兄妹《きょうだい》なんだから、似ててもおかしくないんだけど……)

見た目の特徴《とくちょう》だけでなく、二人にはある共通点があった。


「なっちゃん、お兄ちゃんと何かあったでしょ」

勝手知ったるなんとやらで優の部屋に入っていく雛が、ふいに夏樹をふりかえった。

先導されるままだった夏樹は、不意打ちを正面から食《く》らってしまう。

(気のせいじゃなかったら、いま語尾《ごび》に「?」ついてなかったよね!?)


確信に満ちた雛の瞳がまっすぐに注がれ、夏樹は居心地《いごこち》の悪さにうつむく。

「その反応、図星って感じ?」

「や、えっと、その……」

しどろもどろになる夏樹に、雛は大人びた表情を見せる。

「ふーん?　言いたくないなら、別にいいんだけど」

あっさりと追及《ついきゅう》は止《や》み、再び小さな背中をこちらに向けた。

宣言通り、雛は何も言ってこない。

無言でゲーム機をセットする姿に、夏樹はそわそわと落ち着かない気持ちになってくる。

(雛ちゃんは、心配して言ってくれてたんだよね……)

優から、何か聞いていている可能性もある。

いや、幼なじみの性格からすると、告白予行練習のことはもらさないだろう。それでも、雛から「お兄ちゃんと何かあったでしょ」と言われるくらいには、優の態度もおかしかったのかもしれない。


「……あの、さ……雛ちゃん……」

「なっちゃんになら、いいよ」

「うん？」

言葉が足りていないようで、とっさに意味をつかみそこねた。

夏樹の問いかけに、リモコンを手にした雛がふりかえる。

「なっちゃんになら、お兄ちゃん譲《ゆず》ってあげる」

雛の瞳には、いつになく真剣《しんけん》な光がたたえられていた。

冗談《じょうだん》を言っているようには、とても見えない。

つられて夏樹も背筋を伸《の》ばし、慎重《しんちょう》に聞き返した。

「譲るって、どういう意味かな……？」

「すーぐふて腐《くさ》れたり、優柔不断《ゆうじゅうふだん》なところもあるけど、やさしいし、見た目もいい線いってると思うんだよね。我が兄ながら、意外とお買い得物件！」

「えっ……」


さすがに雛の言おうとしていることがわかり、夏樹は今度こそ顔色を失う。

（わざわざそんなこと言うってことは、私の気持ちも知られてるってことだよね⁉）

思い返すまでもなく、雛に優への想《おも》いを打ち明けたことはない。

それこそ本当の姉妹のように仲良くしていたが、さすがに「雛ちゃんのお兄ちゃんのことが好きなんだよね」とは言うのはためらわれたからだ。


ぼう然とする夏樹に、雛はさらに爆弾《ばくだん》発言を投げこんでくる。

「それとも、こゆき先輩《せんぱい》のほうがタイプだったりする？」

「タ、タイプって……」

話の流れからして、「好みの」タイプという意味だろう。

思わぬ展開に、夏樹は金魚のように口を開閉させることしかできない。

「すっかりカッコよくなったーって、一年生の間でもウワサになってるよ。あの様子だと、そろそろ誰《だれ》か突撃《とつげき》しに行くんじゃないかな？」

「と、突撃⁉」

「やだな、告白ってことだよ」

そう言って、雛は苦笑しながら肩《かた》をすくめる。

またしても大人びた反応が返ってきて、夏樹はいっそ感心してしまう。

「……こゆき先輩は前からカッコよかったし、すっごくやさしいのに」

ふいに、ぽつりと雛の声がこぼれた。

それは空耳かと思うほど、かすかなものだった。

聞き返そうか迷っていると、雛のほうから「なっちゃんはさ」と呼びかけられる。

「なんで優のことが好きなのバレたんだろう、って思ってるでしょ」

「ええっ⁉　雛ちゃん、心が読めるの？」

たまらず叫《さけ》ぶ夏樹に、雛は「ぶはっ」とふきだした。その拍子《ひょうし》に手からリモコンを落とし、自分自身もフローリングに崩《くず》れ落ちていく。

「な、なっちゃん、サイコー」

「雛ちゃーん、笑ってないで答えてよぉ」

夏樹が半泣きで訴《うった》えたのを、かわいそうに思ったのか、よろよろと雛が起きあがる。

目尻《めじり》に浮《う》かんだ涙《なみだ》をぬぐいながら、衝撃《しょうげき》的なタネ明かしをはじめた。


「なっちゃんは素直《すなお》だから、見てればわかるよ」

「そ、そうなの？　じゃあ、まさか……優にも……」

「大丈夫《だいじょうぶ》だと思うよ。お兄ちゃん、自分に向けられる好意には鈍《にぶ》いから」

あっさりとした口調ながら、雛の指摘《してき》は鋭《するど》いものだった。

言われてみれば、と夏樹の脳裏《のうり》にも次から次へと心当たりが思い浮かぶ。

優は他人を優先するクセがあり、しかも本人にとってはそれが自然な状態らしい。

家の外でも中でも、「お兄ちゃん」が抜けないのだろう。一見、ガキ大将タイプの春輝のほうがよほど兄っぽいのだが、部活でも実際に舵取《かじと》りをしているのは優のほうだ。

その場の空気には敏感《びんかん》にできているのに、雛が指摘したように自分に向けられる好意には鈍《どん》感《かん》なところがあった。

(私も「お姉ちゃん」だから、放《ほう》っておけないって思っちゃうのかな)

考えをめぐらせていると、横顔に注がれる視線に気がつく。

ちらりと見れば、息をひそめ、じっと様子をうかがっている雛と目があった。あれこれ言ったはいいが、夏樹の反応が気になったのだろう。

「……雛ちゃん、ずいぶんオトナっぽいこと言うんだね」

「でしょー？　もう高校生だもん！」

自慢《じまん》げに胸をはる雛はやはりかわいらしく、夏樹はたまらず抱《だ》きしめる。

「もう！　雛ちゃん、かわいーい！」

「なっちゃん、くすぐったいよ～」

はしゃいだ声が部屋に響《ひび》く中、ノックもなくドアが開け放たれた。

そんなことができるのは、たった一人しかいない。

「何やってんだよ、他人の部屋で……」

部屋の持ち主である優が、あきれた顔で突《つ》っ立っていた。

「お兄ちゃん！　おかえりー」

雛にならい、夏樹もひらひらと手をふる。

「おかえりー。って、おっそーい！　どこ行ってたの？」

「どこでもいいだろー」


フローリングに座りこむ二人を器用に避《よ》け、優は奥の机へと進んでいく。

その手には、一駅離《はな》れたところにある大型書店の袋《ふくろ》がにぎられていた。雑誌にしては小さく厚みもあるから、また新しい参考書を買ってきたのかもしれない。

（おばさん、優も夏期講習受けるみたいだって言ってたもんね）

まだ高一の夏樹の弟が合宿に参加すると豪語《ごうご》した翌日、自宅のリビングで母親同士が盛りあがっているのを耳にした。なぜか夏樹の前ではそんな素ぶりをめったに見せないのだが、優もそれなりに受験勉強に打ちこんでいるらしい。

「せっかくの休日なのに、ウチに入り浸《びた》っていいのか？」

財布《さいふ》と紙袋《かみぶくろ》を机の上に置きながら、優がからかうように尋《たず》ねてくる。

いまさらな質問に、夏樹は「んん？」と首を傾《かし》げた。

「だって優は特別。それに、いつものことじゃん」

「……あっそ」

自分で聞いておいて照れたのか、優が口をもごもごとさせる。

心なしか横顔も赤く見えるが、外から帰ってきたばかりだからかもしれない。下手に指摘するのもためらわれて、夏樹はあいまいに笑い返した。


「で、今日は何しに来たんだ？」

くるりとふりかえった優が、仁王《におう》立ちで聞いてくる。

「勉強教えてもらおうと思って」

へらっと笑う夏樹に、優と雛が意外そうに声をそろえた。

「ゲームじゃないんだ」

「ゲームじゃなかったっけ？」

「兄妹《きょうだい》、仲良いな！　違《ちが》うよ！」

それじゃあ、私がいつもゲームしかしてないみたいじゃん！

抗議《こうぎ》の言葉が喉元《のどもと》まで出かかったが、「うん」としか返ってこないのではと不安がよぎった。

よくよく思い返してみると、優の部屋に入り浸っている時間の半分は、筆記用具ではなくコントローラーをにぎっていたような気もする。

（こうなったら、ブツを見せるしか……！）

夏樹はすっかり存在を忘れ放置していた数学のプリントを掲《かか》げ、証拠《しょうこ》として突きつける。

「ほら、これ！　一問しか解けてないでしょ？」

「自慢《じまん》げに言うなって。ったく、俺は駆《か》け込み寺かよ……」

苦笑《くしょう》しながら、優が折り畳《たた》みのテーブルに手をのばす。口ではなんだかんだと言うものの、どうやら今日も教えてくれるようだ。

夏樹が筆記用具を抱《かか》えると、雛もスペースを空けるために立ち上がった。

「お邪魔《じゃま》虫は退散するね」

悪戯《いたずら》っぽい笑《え》みを浮かべる雛に、夏樹は内心ひやりとする。

（わっ！　そんな言い方したら、さすがの優も変に思うよね……？）

おずおずと優を見やると、予想を裏切り満面の笑みが飛びこんできた。

「おまえも一緒《いっしょ》にやるか？」

「……お兄ちゃん、そんな調子じゃ一生苦労するよ」

「はっ？　なんの予言だよ？」

お邪魔虫の意味が違うとは言えず、夏樹は乾《かわ》いた笑いをこぼすしかなかった。

❤　❤　❤　❤　❤

一時間ほどで、ラスト一問を残すのみとなった。

てっきり夕方まで潰《つぶ》れてしまうかと思っていたが、相変わらず優の教え方はうまい。数学を大の苦手としている夏樹でも、魔法《まほう》にかかったかのように解答までたどりつけてしまう。

（普段《ふだん》の勉強量からして違うんだろうなぁ。優、大学進学組だもんね）

専門学校への進学を希望している夏樹もそれなりに勉強しているが、あくまでも内申書《ないしんしょ》対策という面が大きい。弟がいる身としては、推薦《すいせん》入試で特待生を狙《ねら》っていきたいからだ。

優も同じような理由で、公立を目指していると言っていた。

私立か公立か、雛の選択肢《せんたくし》を奪《うば》いたくないからと。


(ちょっと前までは、そんな話したことも考えたこともなかったのにな)

それでも否応《いやおう》なく、進路の話題はついて回る。

優に告白した後輩《こうはい》も、春には会えなくなるという事実が背中を押したのかもしれない。毎日のように顔が見られるのは、高校生でいる間だけなのだから。


「……そういえば、月曜の話って聞いてるか？」

夏樹の集中力が途切《とぎ》れたことに気づいたのか、優がおもむろに口を開く。

途中式《とちゅう》さえ書いていないプリントに肩《かた》をすくめ、夏樹はシャープペンを手放した。

「月曜って、映画研究部に顔出してほしいってやつだよね？　美桜から、メール回ってきたよ。なんか、新作で使う絵を描《か》いてくれる人を探してるって」

改めて声に出したところで、夏樹は気分が急降下していくのを感じた。

春輝の映画は夏樹も好きだし、これまでも小道具の手伝いなど買って出てきた。

だが今回は、これまでとは求められることが桁違《けたちが》いだ。

「……ミーティング、私も参加したほうがいいのかな」

「なんで？　都合が悪い？」

「そういうんじゃなくて……。春輝たちがほしいのは、映画の鍵《かぎ》になる絵なんでしょ？　それなら、あかりか美桜が適任だと思う」

作品のために、と力をこめる夏樹だったが、優は納得《なっとく》がいかないのか首を傾げる。

「たしかに早坂と合田の作品はすごいと思うけど、別に俺たちは専門家じゃないし、技術がどうのとか美術的価値とかわからないからさ。ただ単純に、ヒロインのイメージにぴったりの一枚がほしいんだよ」

落ち着いた口調なのに、優の言葉はぐいぐいと迫《せま》ってきた。

夏樹は何も言えなくなり、「そっか……」とつぶやくので精一杯《せいいっぱい》だ。

「それに俺、夏樹の絵が好きだし」

「……え？」

「人物を描かせたら表情が豊かだし、風景を描かせたらキラキラしてるし？　なんかそういうの、いいなーって思うんだよな。元気がもらえるっていうか」

「……お、お世辞を言っても、何も出てこないからね」

「照れるな、照れるな。いまさらおまえに、お世辞なんか言わないってのー」

余裕《よゆう》たっぷりに笑う優を前にして、夏樹はぐっと唇《くちびる》を噛《か》みしめてうつむく。

そうでもしないと、なんだか泣きそうだったからだ。

(優は鈍感《どんかん》だし、八方美人なくせに私には遠慮《えんりょ》なく言ってくるけど……)

いつだって夏樹に自信を持たせてくれるのは、優の言葉だった。

夏樹自身すら気づいていないような、いいところを見ていてくれる。そして、きちんと言葉にしてほめてくれるのだ。

「マンガも描いてるんだろ？　雛だけじゃなくて、俺にも読ませてよ」

ありがとうと言おうとした矢先、優から爆弾《ばくだん》が飛んできた。

夏樹は素直《すなお》にうなずけず、顔をあげるタイミングを失ってしまった。

(絵を認めてもらえるのはうれしいけど、さすがにマンガは……)

プロになりたいなら、どんどん周りに見せたほうがいい。

ネットで知り合った友人たちに教わった夏樹は、勇気をふりしぼって雛や美桜、あかりたちに見せてきた。時に厳しい感想をもらいながら、へこたれずに作品に反映してきたつもりだ。

とはいえ、優に見せるとなると話は違ってくる。

描いているのが少女マンガということもあるが、ヒーローが明らかに〝誰《だれ》か〟を思わせるからだ。たとえ本人が気づかなくても、夏樹のほうが耐《た》えられそうにない。

「……考えておく」

なんとか返事をしぼりだすと、優は「なるべく早めにお願いします」と笑って流した。

さすが、空気を読める男は違《ちが》う。

（こういうところは察しがいいのになぁ……）

お兄ちゃんの顔をして笑う優を眺《なが》めるうち、ほんの少し試《ため》してみたい気持ちに駆られた。

悟《さと》られないように小さく深呼吸してから、なんでもないように問いかける。

「ねえ。もし、私に彼氏ができたら……どうする？」

「また唐突《とうとつ》だな。それ、マンガと関係あるのか？」

「さあ？」

わざとらしくニコーッと笑いかけると、優はやれやれと言わんばかりに息をつく。

「どうするって……そりゃー練習相手としては、応援《おうえん》せざるをえないだろ」

「……っ」


自業自得《じごうじとく》だ。他人を試すようなことをしたからだ。

そう思うのに、夏樹はショックでうまく呼吸ができなくなる。

何も反応を返さない夏樹をどう思ったのか、優は無言で参考書を読みはじめた。


『なっちゃんになら、お兄ちゃん譲《ゆず》ってあげる』

雛の言葉がよみがえり、夏樹は心の中で返事をする。

私には無理みたい、と。

それでもあきらめることはできなくて、もうこちらを見ていない優に話しかける。

「ありがとう。優が応援してくれるなら、心強い」

タイミングを逸《いっ》した返事に驚《おどろ》いたのか、ページをめくる優の手が止まった。

「……がんばれよ」

参考書に目を落としながらも、優の表情はやさしい。

「うん！」

夏樹は痛みを訴《うった》える心臓の声に聞こえないふりをしながら、今度こそ元気よく答えた。

Koyuki Ayase

綾瀬《あやせ》恋雪《こゆき》

誕生日／8月28日
おとめ座
血液型／A型

夏樹のクラスメイト。
園芸部所属。最近、
イメージを大きく変え、
女子の話題の的。

practice
〜練習3〜
3

practice 3 ～練習3～

週明けも、憎《にく》たらしいくらいに真夏日だった。

こうして渡《わた》り廊《ろう》下《か》を歩いているだけでも、首筋に汗《あせ》がにじむ。

(職員室以外も、クーラーをつけてくれたらいいのに……)

さっきまでいた天国を思いだすだけで、夏樹は気が遠くなりそうになる。

幼い頃《ころ》は暑さにも寒さにも強かったのに、いまではすっかり弱くなっていた。


「あ、飛行機雲」

前を歩くあかりが空を指さし、こちらをふりかえった。

「わあ！　きれい……」

美桜の歓声《かんせい》を聞きながら、遅《おく》れて夏樹もまぶしさに目をこらしながら仰《あお》ぎ見る。

「空が青いから、くっきり見えるね」

「そうそう、白い筆を走らせたみたいじゃない？」

「……うん」

美桜とあかりのはしゃいだ声とは対照的に、どんよりとした調子で答える。

(しまった、またやっちゃった……)

二人の視線が雲から自分へと移るのを感じ、慌《あわ》てて明るい声をだす。

「そろそろ時間だね。急がないと、春輝が騒《さわ》ぎだすかも！」

言うなり、夏樹は美術室へと小走りに向かう。

遅れて二人の靴音《くつおと》も聞こえてきて、そっと息をつく。


朝から、ずっとこんな調子だった。

ふとした瞬間《しゅんかん》に、優の「応援《おうえん》する」という言葉がよみがえり、気持ちが塞《ふさ》いでしまうのだ。

(気にしなければいいだけだって、わかってるんだけどなぁ……)

人間の意志で天候をコントロールできないように、感情の扱《あつか》いもむずかしい。

(いまからミーティングなんだから、しっかりしないと)

ぱしんと両手で頬《ほお》を叩《たた》き、挑《いど》むような面持《おもも》ちで美術室の隣《となり》、準備室のドアを開けた。

ほかの部員の集中力を削《そ》がないようにと、顧問《こもん》の松川先生が特別に使わせてくれたのだ。

(あんまりいい顔されないかと思ってたから、意外だったな)

ここへ来る前に職員室に立ち寄ったのは、映画研究部からの依頼《いらい》を報告するためだった。美術部の顧問としては、コンクールに集中しろと諭《さと》すべきなのかもしれないけど、と前置きしながらも、先生は夏樹たちを応援してくれた。

(発表する場は多いほうがいい、か……)

誰《だれ》かに自分の作品を見てもらえるのはうれしいが、それ以上に緊張《きんちょう》のほうが先に立つ。入賞常連のあかりや美桜とは違《ちが》い、まだまだ自信のない夏樹にはかなりの苦行だ。


にもかかわらず映画研究部の話を聞いてみようと思ったのは、『俺、夏樹の絵が好きだし』と言った優の言葉が頭を離《はな》れないからだ。

優が好きだと言ったのは、夏樹ではなく、夏樹の描《か》く絵だ。

それでも純粋《じゅんすい》に、うれしかった。

だから、選ばれないだろうとわかっていても、ミーティングに参加しようと思ったのだ。

廊下にはすでに優たちがそろっていて、手のり扇風機《せんぷうき》で遊んでいた。

「よお。コンクール前で忙《いそが》しいのに、時間もらって悪いな」

口では殊勝《しゅしょう》なことを言ってみせながらも、春輝は白い歯を見せてニカッと笑っている。

いつもの軽口に、夏樹も笑いながらやり返す。

「そう思うなら、ジュースくらいおごってよ」

「あ、そうだよね。気がきかなくて、ごめん……！」

慌てて反応したのは春輝ではなく、なぜか蒼太だった。


春輝は手をひらひらとふり、蒼太を引き止める。

「もちた、いい人すぎだろー。いいんだよ、なつきのワガママなんか聞き流しとけって」

「ほんと、もちたはやさしいなー。でもこういうのは、春輝に任せておけばいいんだよ」

夏樹も負けじと言い返すが、咳払《せきばら》いと共に優の冷ややかな声が響《ひび》く。

「春輝もなつきも、いい加減に黙《だま》ろうか。合田と早坂が固まってるぞ」

優の言葉にふりかえると、遅れてやってきた美桜とあかりが立ち尽《つ》くしていた。

会話に参加するタイミングをうかがう以前に、このノリに圧倒《あっとう》されているようだった。春輝とは幼なじみかつ悪友のような関係だったから、余計だろう。

「ご、ごめん！　二人を立たせたままだったね」

夏樹は準備室の鍵《かぎ》を開け、美桜とあかりに入室をうながす。


二人のあとに優も続いたけれど、春輝は何かを思いだしたように「あっ」と叫《さけ》んだ。

「しゃべってたら、マジで喉渇《のどかわ》いたわ。もちた、行こうぜ」

「そ、そうだ、よね！」

ぎこちなく首を上下させる蒼太の顔は、暑さのせいか真っ赤に茹《ゆ》であがっていた。この様子では、春輝の言う通り水分補給でもしないともたないだろう。

優は何か言いたそうな顔をしながら、結局は手をふって春輝たちを見送った。


「とりあえず、簡単に企画《きかく》の内容から説明させてもらうな」

残された優は、人懐《ひとなつ》っこい笑《え》みを浮《う》かべながら話しはじめた。

すると美桜とあかりの肩《かた》から力が抜《ぬ》けていくのが見え、夏樹はホッと息をつく。

（よかった、二人ともすっかりいつもの空気だ）

優の生来の性格もあるだろうが、夏樹が自分の想《おも》いを打ち明けていることも影響《えいきょう》しているのかもしれない。話を聞くうちに、親近感を覚えるような。

（……私も、美桜が春輝のことが好きだって言うなら……やっぱうれしいし）

ムカつくときもあるけれど、自慢《じまん》の幼なじみの一人であることに違いはない。

美桜と春輝がつきあうことになれば、いまよりもっとくすぐったい気持ちになるのだろう。


優が一通りの説明を終える頃、人数分のペットボトルを抱《かか》えた春輝と蒼太が帰ってきた。

夏樹は冗談《じょうだん》のつもりで言ったのだが、本当におごってくれるらしい。気持ちごとありがたく受けとり、改めて今作の監督《かんとく》である春輝から、絵のイメージを聞くことになった。

「恋《こい》を知らなかったヒロインが、主人公と出会うことで、絵に変化が表れるっていう設定なんだ。彼女の繊細《せんさい》で淡《あわ》い心情の変化を、絵を通して観客に訴《うった》えかけたいと思ってる」

春輝には確固たるビジョンがあるようで、迷いなく言い切る。

その姿に圧倒されると同時に、夏樹は思わず親友二人と顔を見あわせた。

自分の絵で、狙《ねら》った効果を出す。

それがどんなに大変なことかは、想像にかたくない。

少なくとも夏樹が一枚の絵を描くとき、見る人にこんな感情を持ってほしいと決めきることは稀《まれ》だ。あったとしても、筆一本で実現するのは相当な力が求められる。

美桜とあかりも難しい顔になり、何事か考えている。

春輝は順々に視線を送り、やがて今日の天気を聞くような口調で言った。

「なあ、恋って何色だと思う?」

「へっ?　何色って……」

いきなり言われても困るし、意味がわからない。夏樹は春輝の真意をたしかめようとしたが、まっすぐな視線に射貫《いぬ》かれ、問いかけは声にならずに空気にとけた。

「……ピンク、とか?」

とっさに思い浮かんだ言葉を告げると、春輝は大きくうなずく。

美桜もその反応に背中を押されるようにして、閉《と》ざしたきりだった唇《くちびる》を開いた。

「苦《にが》かったり、切なかったりもするから、黒とか青も使うかな」

春輝は興味深げにうなずき、残るあかりを見やる。

「じゃあ、早坂は?」

「私は……金色、かな」


あかりの独特な感性に、優と蒼太が目を見開くのが視界の端《はし》に映った。

美桜も「えっ」と小さく息をのむ。

春輝だけは真剣《しんけん》な表情になり、机に手をつき身を乗りだしてきた。

「なんでそう思う？」

「キラキラ光ってきれいだけど、放《ほう》っておくと錆《さ》びちゃうでしょ？　光が強すぎると、まぶしくて見られないところも似てる気がする」


わかるような、わからないような感じ。それが夏樹の率直《そっちょく》な感想だった。

ほかのメンバーも似たり寄ったりだったらしく、相づちも打てないでいる。

唯一《ゆいいつ》、春輝を除いては。


「……へえ、同じこと考えてる奴《やつ》がいるとは思わなかったな」

ぼう然とつぶやいてから、春輝がはにかんだように笑う。

仲間を見つけた、という心の声が聞こえてきそうな、満足げな顔だ。

（これは、あかりに決まったかな）

ちらりと優に視線を送ると、はっとしたように場を仕切り直しはじめた。

「イメージとしてはそんな感じで……一応、実際の作品も見せてもらってもいいかな」

（……あーあ、「一応」だって）

耳ざとく気づいてしまったものの、下手にまぜっかえしても空気が悪くなるだけだろう。夏樹は聞こえなかったふりを決めこみ、平べったい笑顔をはりつけてみせる。

「油絵とかデッサンとか、いくつか種類が違うの持ってくるよ」

優の言葉ではないが、実際に作品を見ることで印象も違ってくるかもしれない。余計なお世話だと知りつつ、どうしても春輝に美桜の良さに気づいてもらいたかった。


美桜とあかりにアイコンタクトを送ると、二人もうなずいて席を立つ。

美術室から作品を運びこんだところで、ちょっとした選考会がスタートした。

「一番手、榎本夏樹いっきまーす！」

誰《だれ》かが何か言う前にと、夏樹は勢いよく名乗りをあげた。

（実力的にも、あかりと美桜の頂上決戦だもんね）

邪魔《じゃま》をするのも気がひけたし、気が重いことはさっさと済ませるに限る。

ところが、聞こえてきたのは予想外にも好感触《こうかんしょく》な感想だった。

「夏樹の絵って、人物の表情がイキイキしてるんだな。俺、こういうの好き」

第一声は、春輝だった。

蒼太と優もうなずいてみせ、口々に「色遣《いろづか》いがいい」「デザイン性も高い」などと続く。

夏樹はあっけにとられ、反応が遅《おく》れた。

わなわなと口元がふるえるのを感じながら、できるだけ明るい調子で言う。

「す、すごいね！　みんなして、評論家っぽいコメント並べちゃってるねっ」

男子三人は何がおかしかったのか、そろってふきだした。

（めちゃくちゃ理由が聞きたい！　けど、聞くのも怖《こわ》いし……）

二の句が継《つ》げずにいると、ふいに春輝の手がのびてきた。

「素直《すなお》にほめられとけよ。こんな機会、めーったにないだろうからさ」

わしゃわしゃと乱暴な手つきで頭をなでられ、気分はすっかり仔犬《こいぬ》か仔猫《こねこ》だ。にもかかわらず、体の底からくすぐったい気持ちがわきあがってくる。

「ええー？　もっと普段《ふだん》からほめてこーよ！」

今度は夏樹もテンポよく切り返すことができ、心の中でガッツポーズをする。


ふと周囲を見回せば、笑い上戸の蒼太がお腹《なか》を抱えていた。

美桜とあかりからも笑い声が聞こえ、夏樹は安堵《あんど》の息をもらす。

どうやら、さきほどから部屋にはりつめていた緊張感《きんちょうかん》がやわらいだようだ。

（……あれ、そういえば優は）

「相手って、春輝だったのかよ……」


思考をさえぎるように、優のつぶやきが落とされた。

誰に向けられたものなのか、そもそもなんの話なのかも夏樹にはわからない。

だが、何かを大きく間違《まちが》えたような予感が、またたく間に全身を駆《か》けめぐった。


「あの、優……？」

遠慮がちに声をかけると、優はビクッと肩を揺《ゆ》らした。

「……イチャつくのは、そこまでな」

「へっ？」

優なりの冗談《じょうだん》なのだろうが、まさか春輝相手にイチャついているなどと言われるとは思いもよらず、夏樹は文字通りフリーズしてしまう。

（……もしかして、私たちがふざけてるように見えたのかな？）

責任感の強い優のことだから、夏樹にとっては息苦しく感じた緊張感も、選考会に必要なものだと捉《とら》えていたのかもしれない。そうなれば、場を乱したのは夏樹たちということになる。

春輝もあからさまに「しまった」と眉《まゆ》をひそめた。

「じゃ、じゃあ、次は合田さんだね」

気まずい空気ごと、蒼太が話題を入れ替《か》えた。夏樹の隣《となり》に並ぶ美桜の作品を眺《なが》めながら、

「細かい描《か》きこみだね」と感想をもらす。

優と春輝もそれにならい、再び準備室には独特の緊張感が漂《ただよ》いはじめた。

（これはこれで、いいのかもしれないけど……）

夏樹もまた騒《さわ》ぎたてたかったわけではないから、優に反論する気はなかった。

けれど、言葉にはできない何かがひっかかって仕方がない。

しかも嫌《いや》な予感が呼び水になったのか、番狂《ばんくる》わせが続いてしまった。

さきほどの夏樹への好評価が嘘《うそ》のように、春輝の美桜の作品に対するコメントは辛辣《しんらつ》だった。

「なんつーか、表情が硬《かた》くね？」

まるで遠慮《えんりょ》のない春輝の発言に、蒼太と優がぎょっとなる。

「それを言うなら、キリッとした感じ？」

「あ、風景画もあるぞ」

二人のフォローもむなしく、春輝の口からは痛烈《つうれつ》な言葉がこぼれた。

「技術はすごいけど……やっぱなんか、お手本みたいなんだよな」

そうかと思えば、あかりの作品には春輝はほとんど無言だった。

どの作品を見ても、ただ一言「いいね」とつぶやき、あとはひたすら見入っている。

予想外の展開に終わりがきたことに安堵しつつ、夏樹も黙《だま》って作品と向かいあう。

（絵を通して観客に訴《うった》えかけたいと思ってる、か……。あかりにはその力があるんだって、まざまざと見せつけられた感じだなぁ）

そして大方の予想通り、春輝はあかりに絵の制作を依頼《いらい》したのだった。

当のあかりは興奮状態がとけたのか、人見知りモード全開になっていた。夏樹の背中に隠《かく》れるようにして、遠慮がちに春輝に声をかける。

「あの、芹沢君……。映画の話、もう少し詳《くわ》しく聞かせてもらえる？　でないとヒロインの気持ちがわからないし、絵のイメージが降ってこなくて描《か》けないと思うの」

「イメージが降ってくる、ね。そういうとこも一緒《いっしょ》なんだな」

詳《くわ》しい内容は省かれていたけれど、春輝の言わんとするところは伝わってきた。

（たぶん春輝は、あかりを「仲間」だって思ってるんだ）


幼い頃《ころ》、秘密基地をつくって遊んでいたときのような笑顔がそこにはある。

大人に近づくほど、感覚を共有しあえる仲間との出会いは貴重だ。だからこそ、創作活動の中で同じような感覚を持つあかりの存在が、心底うれしいのだろう。

（……じゃあ、美桜は？）

話があうからと毎日のように一緒に帰っている美桜は、春輝にとってどんな存在なのか。

夏樹はいますぐにでも問い質《ただ》したい気持ちに駆《か》られたが、親友の淡《あわ》い気持ちを思えばためらわれる。そうでなくとも、部外者が口を挟《はさ》んでいいことではない。
(美桜は、いまどんな気持ちなんだろう……)
そっと隣の様子をうかがうと、美桜は普段通りのおだやかな笑みをたたえていた。
だが彼女の手は、足は、かすかに震《ふる》えている。
「……美桜」
なんと声をかければいいかもわからないのに、気がつくと名前を呼んでいた。
美桜は弾《はじ》かれたように夏樹を見やり、それからパッと両手を後ろに隠してしまった。
「……作品、片づけよっか」
そう言って微笑《ほほえ》まれてしまったら、夏樹から何か言うことはできない。
見なかったふりをして、代わりに心の中でめいっぱい叫《さけ》ぶ。
(春輝のバカ!)

♥ ♥ ♥ ♥ ♥

結局、ミーティングは一時間ほどで終了《しゅうりょう》した。

夏樹の体感時間では倍近くあったような気がしていたから、時計を確認《かくにん》して驚《おどろ》いた。

(あかりも美桜も、あれからぼーっとしてるなぁ……)

美術室へと移り作品づくりを再開したはいいが、心ここにあらずの状態が続いている。

それぞれ理由は違《ちが》っていても、さきほどのミーティングがきっかけであることは間違《まちが》いないだろう。結果的に幼なじみたちが迷惑《めいわく》をかけてしまい、夏樹は申し訳なさでいっぱいだった。

(また後日って言ってたけど、次からはあかりだけでいいんだよね?)

なんだか落ちつかなくて、さっそく優にメールで確認する。

夏樹が手伝うのは構わないのだが、これまでの小道具のように分担できるわけでもない。何より、あかりにしても美桜にしても、どうしたってやりにくさが残るだろう。

(なんだか、すごいことになっちゃったな……)

「蟬《せみ》の鳴き声が聞こえないと思ったら、雨が降ってたんだね」

そうつぶやいた美桜の声はひどく静かで、危《あや》うく聞き逃《のが》してしまいそうだった。

もしかしたら、ひとりごとだったのかもしれない。

あかりも同じように思ったのか、返事をするまでに少し間が空いた。

「……雲も多いし、雨脚《あまあし》が強くなりそうだね」

メールを送り終えた夏樹は、あかりの言葉に窓の外をのぞきこむ。

「本当だ。雨雲、結構集まっちゃってるね……。どうする、今日はもう帰っとく？」

ふりかえると、どちらからともなく賛同の声があがった。下校時刻までは余裕《よゆう》があったけれど、気分が乗らないのでは意味がないと思ったのだろう。

「それじゃあ、行きますか！　あ、今日は美桜もこっちね。たまには三人で帰ろうよ」

ことさら明るい声をだして、夏樹は二人に笑いかけた。

いつものようにあかりが屈託《くったく》なくうなずき、一拍《いっぱく》おいてから美桜も微笑んだ。

校門の前まで来ると、あかりの読み通り雨脚が強くなった。

傘《かさ》に雨粒《あまつぶ》が当たる音に対抗《たいこう》するように、夏樹は盛大にため息をはく。

「にしても、今日は疲《つか》れたな～」

「気疲《きづか》れかもしれないね。コンクールでも、ああやって目の前で選評されたりしないし」

美桜の相づちを聞き、さーっと血の気がひいていく。

せっかく春輝の名前を出さずにいたのに、これでは台無しだ。

夏樹が言葉を探している間に、「それにしても」とあかりが口を開いた。

「芹沢君は、美桜ちゃんのこと大事に思ってるんだねぇ」

美桜が立ち止まったのに気づかず、あかりはいつものように少し間延びした口調で言う。

「あんな風にストレートに伝えてくれる人って、なかなかいないんじゃないかなぁ」

「でも、ちょっと無神経すぎ……だったような気も、するけど……」

反射的に口を開いたものの、自分こそ無神経な発言をしている気がして、夏樹は慌《あわ》てて語尾《ごび》を濁《にご》した。とりつくろうくらいなら、苦笑いで収めておいたほうがマシだったかもしれない。

(大丈夫《だいじょうぶ》だったかな……?)

美桜は再び歩きだしていたけれど、傘にさえぎられて表情までは見えない。

本人を置き去りにして、あかりがさらに続ける。

「美桜ちゃんなら、ちゃんと受け止めてくれるって思ってるからじゃない?」

「……あ!」

言われてみれば納得《なっとく》の理由で、夏樹は傘を突《つ》きあげた。

(そう、そうだよ！　春輝って気に入ってる作品ほど文句が多いんだった)

幼なじみ四人でＤＶＤ鑑賞《かんしょう》するときなど、春輝はいつも自分が持ちこんだ作品ほどあれこれ言う。夏樹には理解しがたいが、好きだからこそ何か言わずにはいられないらしい。

優や蒼太の言葉をかりるなら、「ただのツンデレ」だ。

「春輝ってさ、天《あま》の邪鬼《じゃく》っていうか、ちょっとツンデレなとこがあるんだよねー」

少し遅《おく》れて歩く美桜にも聞こえるように声をはりあげる。

しかし反応はなく、夏樹は心配になってついふりかえってしまった。

「……あかりちゃんは、よく人のこと見てるよね」

どこかさびしそうに笑う美桜を見て、一瞬《いっしゅん》にして稲妻《いなずま》のような電流が駆け巡《めぐ》った。

（もしかして美桜、あかりのこと……）

本人は無自覚なのかもしれないが、うらやましいと思ったのではないだろうか。

準備室での会話を聞く限り、春輝とあかりは感覚を共有しあっているようだった。そしていまも、幼なじみの夏樹よりよほど理解していた。

（これって、三角関係って言うのかな？）

夏樹は逸《はや》る鼓動《こどう》を抑《おさ》えながら、もう一人の当事者、あかりへと視線を投げる。

あかりは夏樹たちが遅れていることに気づき、立ち止まって待っていてくれた。

「……いいなぁ。恋《こい》って、どんな感じなんだろう……」

つぶやきは、雨音にかき消される寸前で夏樹の鼓膜《こまく》を震わせた。

言葉とは裏腹に、あかりの表情には陰《かげ》がさしている。


（あ、あれ？　いまのって、つまりは、そういう……？）

すさまじい速度で過去のやりとりを思い返すが、たしかにあかりから恋愛《れんあい》の話を聞いたことはまったくなかった。うまくかわされてしまっていた気もする。

夏樹の推測が正しければ、三角関係未満ということだ。

（でも、それじゃあ……あかり、映画の絵を描《か》くの大変なんじゃ……）


「榎本さーん！」


その声は、雷鳴《らいめい》のように周囲の空気を裂《さ》いた。

声自体は聞き慣れたものだが、こんなに大きな音量を耳にした記憶《きおく》はない。夏樹は反射的にふりかえりながらも、想像している相手とは別人だろうかと身構えた。

はたして走って追いかけてきたのは、予想通りの人物だった。

「よかった、間にあって……」

「こゆき君！　どうしたの？」

「美術室に寄ったら、今日はもう帰ったって聞いて……。あの、昨日これが手に入ったんです」

恋雪が鞄《かばん》をごそごそ探《さぐ》ると、中から小さな紙袋《かみぶくろ》が現れた。

さしだされるままに受けとった夏樹は、戸惑《とまど》いながら恋雪を見やる。

「開けていいの？」

「もちろんです。それは榎本さんに持っててほしくて……」

不思議に思いながら、夏樹は紙袋の中を確認《かくにん》する。

「限定小冊子！　こゆき君、当選したの!?」

そこに入っていたのは、二人が愛読するマンガの単行本化を記念してつくられた小冊子だった。この世にわずか十人分しか存在していない、まさに貴重な逸品《いっぴん》だ。

「ダメもとで応募《おうぼ》してたんですけど……。なんか運を使いきっちゃった感じですよね」

その場で小さく飛びはねる夏樹に、恋雪がはにかみながらうなずく。

「すごい、すごーい！　まさか実物見られるとは思わなかったよ」

食い入るように表紙を見つめながら、夏樹は歓喜《かんき》のため息をもらす。


「なっちゃん、ご機嫌《きげん》だねぇ」

「吉田《よしだ》先生だっけ？　好きだって言ってたもんね」

やりとりを見ていたあかりと美桜も、にこにこしながら夏樹の手元をのぞいた。

「うん！　吉田先生は、ギャグも最高なんだよ～」

「……そう聞いてたから、榎本さんにもらってほしいなって思って」

恋雪に笑顔《えがお》でダメ押しされ、夏樹はハッと息をのむ。

「でも、こゆき君だってファンでしょ？　だったら自分で持ってたほうがいいよ」

未練があるように思われてはいけないと、いつもの調子で紙袋をさしだす。

だが恋雪は首を横にふるだけで、受けとってはくれない。


（どうしよう、このままじゃ雨に濡《ぬ》れちゃうし……）

仕方なく紙袋を抱《かか》え直すが、物が物だけに受けとるわけにはいかない。

じっと恋雪を見つめると、視線は一瞬で外されてしまった。

「……その代わりって言ったら、あれなんですけど……」

うつむき、ぼそぼそとしゃべる姿は、髪《かみ》を切る前の彼に逆戻《ぎゃくもど》りしたようだ。

それだけ言いにくいことなのかもしれないと、あえて軽い調子で応じることにする。

「なーに？　私にできることなら、なんでも言って」


恋雪は深呼吸を繰《く》り返し、意を決したように再び顔をあげた。

前髪《まえがみ》も眼鏡も、彼の顔をさえぎるものはもう何もない。

熱のこもった真剣《しんけん》なまなざしに、夏樹の鼓動がドクンッと高鳴った。


「夏休みにっ、どこか出かけませんか！　できれば、ふ、二人で……」

聞いた途端《とたん》、心拍数《しんぱくすう》が高くなり、顔に熱が集まっていくのがわかった。

（お、落ちつけ、私！　相手はこゆき君だよ？　友だちとして、に決まってるじゃん）

ワイシャツの上から早とちりな心臓を押さえつけ、夏樹は小さくうなずく。

「……た、楽しみだねっ」

夏樹の返事に、恋雪の表情がパァッと輝《かがや》いた。

「はい！　詳《くわ》しいことは、またメールしますね」

そして言うが早いか、恋雪は走り去ってしまった。


バシャバシャと水音が跳《は》ねるのを聞きながら、夏樹は脱力《だつりょく》したように傘《かさ》の天井《てんじょう》を仰《あお》ぐ。

（……いまのは、なんだったんだろう）

「デートのお誘《さそ》い、だよね」

夏樹の心の声に答えるように、美桜が絶妙《ぜつみょう》なタイミングでつぶやいた。

思わず「へぇあ!?」と奇声《きせい》を発してしまい、ますますいたたまれなくなる。


「……デートとか、そういうんじゃないんじゃないかな」

もごもごと口を動かすと、美桜の指に頰《ほお》をつつかれる。

「そんな赤い顔して言っても、説得力ないぞ？」

「だから、違《ちが》うってば！」

「なら、私もついていくよ。そしたら緊張《きんちょう》しないんじゃない？」

無邪気《むじゃき》に腕《うで》を組んでくるあかりに、美桜が大きなため息をもらす。

「たしかになっちゃんは緊張しないだろうけど、それじゃ綾瀬君がかわいそうだよ……」

「え？　どうして？」


二人の嚙《か》みあわない会話を意識の外に聞きながら、夏樹はぐるぐると考えていた。

これまで恋雪とは、共通の趣味《しゅみ》を持った友人として接してきたつもりだ。それは向こうも同じだったはずで、さっきも「デート」という言葉はなかった。

（……ただの自意識過剰《かじょう》でしたー！　ってオチだよね、うん）


もしそうじゃなかったら？

そんな問いかけが頭の片隅《かたすみ》に居ついているけれど、見ないふりをする。

一方的な勘違《かんちが》いで、大事な友情に亀裂《きれつ》を入れるわけにはいかない。

（大丈夫《だいじょうぶ》、大丈夫だよ……）

自分に言い聞かせながら、夏樹は盛りあがっている二人に声をかける。

「夏休みになったら、三人でも遊びに行こ！　絶対だよ？」

高校生活最後の夏休みは、すぐそこまで迫《せま》っていた。

Akari Hayasaka

早坂《はやさか》あかり

誕生日／12月3日
いて座
血液型／O型

夏樹の親友。美術部部長。
天然な性格と、
はじけるに笑顔にファンは
多いが、実は人見知り。

practice
〜練習4〜
4

☆practice 4☆ 〜練習4〜

夏休み最初の週末は、慌《あわ》ただしくはじまった。

前日の夜は変に緊張して寝《ね》つけず、ようやく熟睡《じゅくすい》できた頃《ころ》には目覚ましが鳴っていた。記憶《きおく》はそこで途切《とぎ》れ、再び目を覚ましたときには待ち合わせの一時間前だった。

「やっちゃった……。早めに起きて、ゆっくり服を選ぶつもりだったのになぁ」

夏樹は姿見の前で試着を繰り返しながら、一向に決まらない組み合わせに頭を抱《かか》える。

(吉田先生に会えるんだもん、下手なカッコじゃ行けないよ……!)

あのあと恋雪から届いたメールには、夏樹が大ファンであるマンガ家のサイン会への誘いが書かれていた。場所は、遊園地でも水族館でもなく、当然のように都内の大型書店だ。

行き先はどこになるのかとそわそわしていた分、メールを受けとった直後はあっけにとられてしまったが、あこがれのマンガ家に会えるという事実に一気にテンションがあがった。

すぐに夏樹もサイン会の予約に走り、今日この日を迎《むか》えたのだった。

「……やっぱり勝負服で行くしかないかな」

足元に積まれた服の山から、胸元《むなもと》のレースがかわいいシャツワンピースを拾いあげる。

美桜たちと出かけたとき、ひと目ぼれして買ったものだ。

「こういう系統の服、あんまり着たことないんだけど……大丈夫かな？」

パジャマ代わりのTシャツの上からあわせてみると、いつもより清楚《せいそ》系に見える気がした。

「二割増し、って感じ？」

我ながら単純だなと苦笑いしながら、夏樹はTシャツに手をかける。


『デートのお誘い、だよね』


ふいに美桜の言葉がよみがえり、思わず手が止まった。

（ありえないって、うん……）

当の恋雪はそうとは言わなかったし、行き先もマンガ家のサイン会だ。いくら共通の趣味だからといって、デート先には選ばないだろう。

そもそも告白されたこともないのだから、考えすぎにもほどがある。

ピピッ！　ピピッ！

思考をさえぎるように、ベッドに置きっぱなしにしていた携帯電話《けいたいでんわ》が鳴り響《ひび》いた。

「あ、タイマーをかけてたんだった」

慌てて駆《か》け寄り時間を確認《かくにん》すると、待ち合わせまで三十分を切っている。

迷っている暇《ひま》はない。ぴしゃりと両手で頬《ほお》を叩《たた》き、夏樹は潔《いさぎよ》くTシャツを脱《ぬ》ぎ捨てた。

♥　♥　♥　♥　♥

「おーい、なつき！　ゲーム返しに来たぞー」

玄関《げんかん》を出るとすぐ、門の前に立つ人影《ひとかげ》から声をかけられた。

視線がかちあったと思ったときには、攻略本《こうりゃくぼん》とソフトを手にした優が駆け寄ってくる。

「ごめーん、いまから出るところなんだ。靴《くつ》箱に置いといて」

「合田と早坂？」

（……あ、あれ？　なんか今日、めちゃくちゃ見られてない？）

優の視線に不安になりながらも、夏樹は訂正《ていせい》するように首を横にふる。

「ううん、今日はこゆき君と」

答えた瞬間《しゅんかん》、その場の空気が凍《こお》りついたような感覚を覚えた。

優は眉間《みけん》にしわを寄せ、鋭《するど》い眼光で夏樹を貫《つらぬ》く。

「な、何？　どうかした……？」

「春輝はいいのかよ」

夏樹の声にかぶるようにして、優からうなるような低い声が放たれた。

心当たりはまったくないのだが、相手はあきらかに怒《おこ》っている。

それも、いつにない激しさで。

あとずさりそうになるのをなんとかこらえ、夏樹はじっと優を見つめ返す。

かすかに震《ふる》える手や、ぐっと唇《くちびる》を噛《か》みしめる姿、何かを訴《うった》えるように揺《ゆ》れる瞳《ひとみ》を眺《なが》め、自分が思い違《ちが》いをしていることに気がついた。

（……優、泣くのを我慢《がまん》してる？）

本人も自覚がないのかもしれないが、怒《いか》りの中には別の感情がひそんでいる。

そうとわかってしまえば、強く言い返すこともできなくなってしまう。

「……映画に使う絵は、あかりが描《か》くことになったじゃん。だから別に、春輝と会わなきゃいけない用事もないよ。遊ぶなら、あきらめるのか？」

「選ばれなかったから、あきらめるのか？」

即座《そくざ》にあらぬ方向から質問が飛んできて、夏樹は息をのむ。

あきらめるも何も、あかりが描くことはもう決まったことだ。優にもそれがわかっているはずなのに、なぜいまになってこんなことを言うのだろう。


「意味がよく、わからないんだけど……」

「はぐらかすのか？　春輝に絵をほめられて、うれしそうにしてたくせに……。あんな顔、俺には見せたことなかったろ」

正直に伝えたのに、優はさらに問いつめてくる。

脳内に大量の「?」が浮《う》かぶ中、はっきりしていることがひとつだけあった。

（まったく話が嚙みあってなーい！）

夏樹の知らない間に、新たな動きがあったのだろうか。いや、それならメールの一通もあるはずだし、優もこの場で説明するだろう。

(じゃあ、何？　なんなの？　どういうこと⁉)


頭を抱えて混乱する夏樹に、優がふっと息をこぼした。

今度は何を言われるのだろうかと顔をあげると、視界いっぱいに大きな手が迫《せま》っていた。

無意識に身を固くするが、優の手のひらは夏樹の頭をなでていくだけだった。

「えっ、優……？」

ぽかんと口を開けたまま、幼なじみの顔を見上げる。

そこには別人のような、大人びた笑《え》みをたたえた彼がいた。


「悪い、俺が口を挟《はさ》むことじゃなかったよな」

だからね、優が何に怒ってるのか、何がつらいのかわからないんだってば。

そう言い返せば済むのに、肝心《かんじん》の声が出なかった。

優は妹の雛にしてみせるように、もう一度、ぽんぽんと夏樹の頭をなでる。

「……おまえが誰《だれ》を好きでも応援《おうえん》するって言ったの、俺だしな」

消え入りそうなつぶやきは、きちんと夏樹の耳に届いた。

だがやはり何も言えずに、金縛《かなしば》りにあったように動けずにいる。

「待ち合わせの時間、大丈夫《だいじょうぶ》か？　これ、靴箱だったよな」

ひらひらと手をふり、優が夏樹の家の玄関を開ける。

もう何度も見た光景なのに、なぜか今日はひどく胸が痛んだ。

（……優と私の距離《きょり》は、幼なじみのままなのかな？　この先もずっと？）

一度、告白予行練習をして以来、夏樹はあいさつ代わりに「好きです」と伝えてきた。

何度も繰《く》り返すうちに、本気になってくれればいいのにと思いながら。


（私、いままで何やってたんだろう……）

ただひたすら、優から逃《に》げていただけだ。「幼なじみ」「予行練習」という安全な場所を確保し、最後の最後で傷つかなくて済むように防波堤《ぼうはてい》を築きあげて。

そうしてうまくやったつもりでも、結局は後悔《こうかい》という名の波が押し寄せてくる。


「ダメじゃん、私……」

夏樹のつぶやきは蟬《せみ》の声にかき消され、誰の耳にも届かなかった。

♥
♥
♥
♥
♥

「榎本さん、大丈夫ですか？」

「……え？」

遠慮《えんりょ》がちに肩《かた》を揺すられ、夏樹は緩慢《かんまん》な動きで相手を見やる。ピントをあわせるようにまばたきをすると、そこには心配そうな顔の恋雪がいた。

遅《おく》れて周囲の音が戻《もど》り、ざわざわと人の話し声が聞こえてくる。

（ここは……？　サイン会は……そうだ、もう終わったんだ……）

手元ではカランとグラスの氷が澄《す》んだ音を立て、そういえばアイスカフェオレを頼《たの》んでいたなと思いだす。ずいぶん放置していたのか、テーブルには水たまりができあがっている。

「あんまり食欲《しょくよく》ないみたいですね。夏バテかな」

「ううん！　吉田先生に会えて、興奮疲《づか》れしちゃったんだと思う。ぼーっとしてゴメンね」

すらすらと言葉がでてくるから、そういうことだったのかと夏樹自身も納得《なっとく》した。

しかし恋雪はいぶかしげな表情を崩《くず》さず、探《さぐ》るようにこちらを見ている。

「……瀬戸口君と、何かありました？」

投げかけられた問いは、夏樹の心を一気に波立てた。

水面に波紋《はもん》が広がるようにじわじわと体中をめぐり、やがて力なくうなずいた。

「たいしたことじゃないんだけどね……。最近、優が何を考えてるかよくわからないんだ」

「そのこと、本人には伝えました？」

「まさか！　言えるわけないよ」

「どうしてです？　困ってるんでしょう？」


恋雪の豪速球《ごうそっきゅう》のような返答に、夏樹はぐっと言葉につまる。

たしかに言っていることは正論なのだが、それが実行できないから困っているのだ。

さらに困るのは、そんな夏樹の状況《じょうきょう》を恋雪が理解していないはずがないということだった。

全国模試でも上位に入る頭脳の持ち主だ、考えが及《およ》ばないわけがない。

わかっていて、あえて言っているのだとしたら……。

（ぐだぐだ言ってないで、正面からぶつかってこい！　ってことだよね）

「……こゆき君は、変わったよね。見た目だけじゃなくて、積極的になった」

「そう、ですか？　だとしたら、それは榎本さんが背中を押してくれたからです」

内緒話《ないしょばなし》をするように、恋雪がそっと声をひそめた。

夏樹は相づちを打とうとして、予想外の言葉に舌がもつれそうになる。

「へえ、えええ⁉　わ、私？　何もしてないよ？」

「あはは！　そう言うだろうなと思ってました」

何が笑いのツボだったのか、恋雪はテーブルにつっぷして笑いだした。

顔をあげたときには目尻《めじり》に浮《う》かんだ涙《なみだ》をぬぐっていて、夏樹は戸惑《とまど》ってしまう。


「私、そんなに変なこと言った……？」

「いいえ。ただ、どこまでも正反対なんだなって」

恋雪はアイスティーを一口飲んでから、数式を解くように話しはじめた。

「僕が変わったきっかけは、榎本さんです。でもそれは、榎本さんにとっては『あたりまえ』のことだった。だから特別意識してなかったし、心当たりがない」

「……そういう、ことなのかな」

やたらと持ちあげられている気がして、夏樹は素直《すなお》にうなずくことはできなかった。

けれど恋雪は、あっさりと肯定《こうてい》する。

「だと思いますよ。翻《ひるがえ》って榎本さんの場合、瀬戸口君とは幼なじみですし、お互《たが》いのことがわかっているのが『あたりまえ』だった。それは一方で、気持ちを言葉にして伝える機会を奪《うば》っていたのかもしれません」


気持ちを言葉にする。

口の中で繰り返し、夏樹は視界を覆《おお》っていた霧《きり》が晴れていくのを感じた。

（……そっか、私は『あたりまえ』に甘えちゃってたんだ）

話が噛《か》みあわないと感じながら、あと一歩踏《ふ》みこむのをためらった。

これまでは気持ちを言葉にして伝える必要がなかったから、自分に都合のいいように解釈《かいしゃく》していたのではないかと、改めて真実をつきつけられるのが怖《こわ》かった。

（気持ちをたしかめあうのを、ずっとサボってきちゃったんだ）

夏樹が黙《だま》ったきりでいるのをどう受けとったのか、恋雪が頭をさげる。

「ごめんなさい。部外者が勝手なこと言って……」

「わっ、あやまらないで！　本当にそうだなって思ったもん」

あわあわと両手をふり、夏樹は中断していた昼食の続きをうながす。

「それより、ほら！　パスタがのびきっちゃう前に食べちゃわないと」

顔をあげた恋雪はまだ何か言いたそうにしていたけれど、「うん？」と聞き返すと、ゆるゆると首を横にふった。ほんの少し、さびしそうな表情で。


（こゆき君、あきれちゃったかな……？）

さきほどの会話のきっかけは、夏樹がぼーっとしていたからだ。

おまけに、恋雪のおかげで絡《から》まっていた糸がほどけたような気がしたけれど、個人的なことすぎて伝えることもはばかられた。

（……優に改めて気持ちを伝えたら、そのときにちゃんとこゆき君にお礼を言おう）

結果がどうあっても、前進できたことには変わりない。

恋雪の背中を押したのが夏樹なら、夏樹の背中を押してくれたのは恋雪だ。

感謝の言葉と共に伝えよう。

そんな瞬間《しゅんかん》が遠からず訪《おとず》れることを、このときは心から信じていた。

♥ ♥ ♥ ♥ ♥

（困ったなぁ、もう公園まで来ちゃった……）

ものめずらしそうに瞳《ひとみ》を輝《かがや》かせている恋雪の隣《となり》で、夏樹はこっそりと息をつく。

送りますと言ってくれたのはうれしかったが、まさか「家まで」だとは思わなかった。

わざわざ最寄《もよ》り駅までついてきてくれただけでも驚《おどろ》いたのに、恋雪があたりまえのように「さあ、行きましょう」と歩きだしたから、つい夏樹もあとに続いてしまったのだった。

（まだ夕方だし大丈夫《だいじょうぶ》だよって言っても、全然聞いてくれないし）

意外にも、恋雪は頑固《がんこ》だった。

夏樹は悩《なや》んだ末、思いきって立ち止まった。

「こゆき君、本当にもうここで……。駅までの道、わからなくなっちゃうよ？」

「……わかりました。榎本さんを困らせるのは、僕としても本意ではないので」

芝居《しばい》がかった恋雪のセリフに、夏樹は思わず苦笑《くしょう》する。

（今日はずっと、こんな調子だなぁ）

もともと恋雪は丁寧《ていねい》な言葉遣《ことばづか》いをするけれど、今日の彼は、たとえるなら執事《しつじ》や騎士《きし》といった雰囲気《ふんいき》だった。夏樹をお嬢様《じょうさま》やお姫様《ひめ》扱《あつか》いしてくれるから、くすぐったくて仕方がない。

（こゆき君、全部先回りしてやってくれるんだもん）

ドアというドアは、すべて恋雪が開けてくれた。

当然のようにイスもひいてくれたし、さりげなく車道側を歩いてくれていた。

（自分が誘《さそ》ったからってお昼をおごってくれたのは、さすがに申し訳なかったけど）


恋雪は本当にいい人だ。

きっと目に見える形でお返しをしようとしても、かわされてしまうだろう。

だから夏樹は、ありったけの感謝の気持ちをこめて笑顔《えがお》を向ける。


「今日はありがとう！　すっごく楽しかった」

「僕のほうこそ、本当に……夢みたいでした」

「ええ？　おおげさだよ、こゆき君」

いやだなあと笑いながら、優や春輝にするように、軽いノリで恋雪の二の腕《うで》を叩《たた》く。

細い見た目とは裏腹に、そこにはちゃんと筋肉がついていた。

（そっか、こゆき君も男の子なんだ……）


「榎本さん！」


いきなり名前を呼ばれたかと思うと、恋雪に手首をつかまれていた。

その表情は真剣《しんけん》そのもので、夏樹はあっと息をのむ。

（こゆき君、さわられるのとかダメな人だったかな？）

優たちとはもっと激しいスキンシップをとることが多いから、つい頭から抜《ぬ》け落ちてしまっていた。恋雪も、こういう接触《せっしょく》が苦手な人の一人なのかもしれない。

謝《あやま》らなければと思った瞬間、背後から自転車が通りすぎていく音が聞こえてきた。

びくっと肩《かた》を揺《ゆ》らすと、恋雪が慌《あわ》てて手を解放した。

「ご、ごめんなさい！　痛かったですよね？」

「ううん、違《ちが》うの。私のほうこそ、いきなり叩いちゃってごめんね」

恋雪に謝りながらも、夏樹は視界の端《はし》で自転車を追いかけていた。

カゴにスーパーの袋《ふくろ》がつめられた自転車は、ごく普通《ふつう》のママチャリだ。後ろ姿も女性のもので、思っていた人物とは違っていた。

「榎本さん？　どうかしました？」

「……そういえばここ、散歩コースだなと思って」

優のクセが伝染《うつ》ったのか、少し言葉が抜けていた。

けれどなぜか恋雪には伝わったようで、「ああ、瀬戸口君の」と言い当てられてしまう。

なんでわかったの？

夏樹が聞くより先に、再び恋雪に手首をつかまれていた。

ぐいっとひっぱられ、そのままゴツンと恋雪の鎖骨《さこつ》に頭をぶつけてしまう。

（わっ、痛そう……！）

反射的にそう思ったが、恋雪が衝撃《しょうげき》にふらつくことはなかった。それどころか反対側の手が背中に回され、胸に押しつけるように抱《だ》きしめられる。

「いま自分がどんな顔をしてたか、わかりますか」

耳元で声がして、たまらず夏樹は体をよじろうとする。

しかし恋雪の腕の力は思った以上に強く、首をそむけることしかできなかった。

（こゆき君、どうしちゃったんだろう……）

不安や戸惑《とまど》いのほうが大きく、質問がちっとも頭に入ってこない。

何も言わない夏樹に焦《じ》れたのか、恋雪がさらに続ける。

「僕なら、そんな悲しい顔をさせたりしません。誠心誠意、努力します」

すぐそばまで迫《せま》った恋雪の心臓が、ドクンと大きく跳《は》ねた。

つられて夏樹も鼓動《こどう》が速くなり、全力疾走《しっそう》したあとのように忙《せわ》しない。

いっそ痛いくらいだ。

「だから、瀬戸口君じゃなくて——」

「俺が、何？」

恋雪の言葉をさえぎるように、背後から声がした。

聞き慣れたそれを、夏樹が間違《まちが》えるはずもない。

「……優……」

拘束《こうそく》のゆるくなった恋雪の腕から脱出《だっしゅつ》し、重たい足でふりかえった。

夕陽《ゆうひ》を背負った優の表情は、陰《かげ》になってよく見えない。

でも不思議と、相手が静かに怒《おこ》っているのが伝わってくる。びりびりと空気が震《ふる》え、そこに立っているのもつらいくらいだ。

「なあ、綾瀬」

優は夏樹が見えないかのように、恋雪だけをにらんでいた。

対する恋雪はひるむことなく、微笑《ほほえ》みさえ浮《う》かべて「はい」とうなずく。

否応《いやおう》なく緊張感《きんちょうかん》が増すのを感じ、夏樹はぎゅっとワンピースの裾《すそ》をつかんだ。

「おまえさ、TPOって言葉知ってる？　ここは公共の場で、俺みたいに近所の住民が通りかかるんだよ。下手にそんなところ見られたら、なつきが困るだろ」

「そんなところ？」

本当にわからないのか、それともあえてなのか。すかさず、恋雪が問いかけた。

優はめずらしく舌打ちをして、勢いに任せて近づいてくる。

「彼氏ヅラする暇《ひま》があったら、こいつのこともっと考えてやれって言ってるんだよ」

「……その言葉、ブーメランになりません？」

「ならない」

即答《そくとう》した優に、恋雪の顔から笑みが消えた。

驚《おどろ》いたように目を丸くして、それからにらむようにスッと細められる。

急展開についていけない夏樹は、黙って二人を見つめるしかない。

「理由を聞いても、いいですか？」

「俺となつきは……幼なじみだからな。ご近所さんにも公認《こうにん》なんだよ」

「ああ、幼なじみ」

鼻で笑う恋雪に、優はあからさまにムッとした顔になる。

夏樹の目にも、それは挑発《ちょうはつ》のように映った。

(この人は誰《だれ》なんだろ？　本当に、こゆき君……？)


二人の間に割って入らなきゃと思うのに、足がすくんで動けなかった。

せめて呼びかけようとしても、肝心《かんじん》の声がでない。

なんとかしなければと焦《あせ》るほど、のどが締《し》まっていくようだった。

(お願いだから、ケンカはしないで)

祈《いの》るように視線を送ると、すぐに優が気づいてくれた。目があうとハッとした顔になり、見る見るうちに眉間《みけん》のしわが増えていく。


(な、なんで？　逆効果だった？)

もしかして、一方的に恋雪をかばっているように受けとられてしまったのだろうか。

あたふたする夏樹をよそに、優がまた一歩、前にでる。

「とにかく、なつきを泣かせるような奴《やつ》には任せられない」

淡々《たんたん》とした声に、優が挑発に乗らなかったのだとわかった。

はりつめていた息を吐《は》くと、ぽたっと鎖骨《さこつ》のあたりに冷たいものが落ちてきた。

(なんだろう……？　雨？)

ふっと空を仰《あお》ぐけれど、雲を見つける前に視界がにじんだ。

力の入らない腕《うで》を持ちあげ目をこすると、指先に濡《ぬ》れた感触《かんしょく》が残った。


「……あ、あれ？」

「そういうわけだから、行くぞ」

優は夏樹の返事を待たずに、問答無用で肩《かた》を抱き寄せ歩きだした。

ちょっと待ってと抗議《こうぎ》しようとして、ぐすっと鼻が鳴る。

(バカ、泣いてる場合なんかじゃないのに……)


こゆき君に謝らなきゃ。

優の誤解も解かないと。

そう思うのに、あとからあとから涙《なみだ》がこぼれて声にならない。

「勝負する気がないのに、ズルイですよ！」

背中に投げかけられた恋雪の声は、制止を呼びかけるものではなかった。

おまけに、どちらに向けたものかわからない。

隣《となり》を歩く幼なじみを見上げると、憮然《ぶぜん》とした表情を浮かべている。

（……優に言ったってこと？）

だが本人は無反応を決めこみ、口をきつく結んだままだ。

恋雪もそれ以上は何も言わずに、走り去っていく足音が遠くに聞こえてきた。

（なんでだろう……。なんで、こんなことになっちゃったんだろう？）

嗚咽《おえつ》をこらえ、夏樹は答えのでない問いを繰《く》り返す。

その日の夕陽も、ひどく目にしみた。

Sota Mochizuki

望月《もちづき》蒼太《そうた》

誕生日／9月3日
おとめ座
血液型／B型

夏樹の幼なじみ。
映画研究部所属。
ストレートすぎる性格で、
仲間内ではいじられがち。

practice
～練習5～
5

practice 5 ～練習5～

制服が、まだなんだかよそよそしく感じられる。

夏休みが終わってから一週間が経《た》つのに、いまだに優の体になじむ気配がなかった。

（そういえば、今年は登校日も欠席したしなぁ……）

塾《じゅく》の合宿と重なったからだが、恋雪と顔をあわせないで済む正当な理由になったことに、ホッとしたのも事実だった。

夏樹との「デート」に出くわして以来、冷戦状態が続いている。

（……今年の夏休みは、やけに短かった気がする）

ＳＨＲを終え部室に向かいながら、暑さに負けて第二ボタンを外す。

休み自体はあっという間に終わってしまったが、まだまだ残暑は続きそうだ。覚えた公式がとけそうなくらいに暑い。

（げ、ウワサをすれば……）

窓の外には、花壇《かだん》の前にうずくまる恋雪の姿があった。公園で会ったときは夏樹よりも肌《はだ》が白かったが、部活で花壇の世話をするうちに、少しは日に焼けたらしい。

優は足を止め、ふわふわとした髪《かみ》が忙《せわ》しなく動く様子を眺《なが》める。

（やっぱアイツ、夏樹のこと好きなんだろうなぁ）

以前から、予想はしていた。クラスメイト、共通の趣味《しゅみ》の友人という相手には不釣《ふつ》り合いなほど、夏樹に向ける視線に熱がこもっていたからだ。

確信に変わったのは、公園で投げかけられた言葉だった。

『勝負する気がないのに、ズルイですよ！』

あれは夏樹の彼氏の座をめぐって、という意味だろう。

（とかいって、綾瀬もまだ告白してないっていうね）

もしも告白されていたら、夏樹なら確実に顔に出る。

それとなく様子をうかがっていたが、まったくそんな素振《そぶ》りはなかった。

『だからね、優の誤解なんだってば』

公園から自宅まで連れ帰った翌日、部屋に押しかけてきた夏樹は開口一番そう言った。

あのとき泣いてしまったのは、優の迫力《はくりょく》に驚《おどろ》いたからだと。


苦しい言い訳のようにも聞こえたけれど、それ以上の追及《ついきゅう》はなんとかのみこんだ。

どうしても納得《なっとく》いかないことが、ほかにあったからだ。

『じゃあ、綾瀬に抱《だ》きしめられてたのは？　あれはなんで？』

夏樹はぎょっと目を見開き、そわそわと視線を泳がせた。

優は辛抱強《しんぼうづよ》く、そして下手な誤魔化《ごまか》しは許さないとばかりに、じっと見つめ続けた。

やがて夏樹は胸の前で腕《うで》を組み、思いきり首を傾《かし》げて言った。

『なんでだろう？』


こっちが聞きたい！

叫《さけ》びそうになるのを必死にこらえ、あの手この手で聞きだそうと質問をぶつけ続けた。

だが『よく覚えてないいんだよね』と笑って宣言されてしまっては、さじを投げるしかない。

おまけに無防備すぎる夏樹に苛立《いらだ》ち、その日はケンカ別れになってしまった。

（雛がお節介《せっかい》焼いて、翌日にはまたフツーにしゃべるようになったけど……）

二人の間に築きあげられた見えない壁《かべ》のようなものを、夏樹も感じているはずだ。

告白予行練習も中断してるし、会話をしても妙《みょう》にぎこちない。

「……どうにもこうにも、うまくいかないな……」

つぶやきが聞こえたかのように、恋雪がこちらをふりかえった。

視線があった気がして、優はとっさに窓から離《はな》れる。

（いや、なんで俺が逃《に》げるんだよ）

そう思い直し再び窓の外をのぞくが、そこにはもう彼の姿はなかった。

「……俺も部活行くか」

♥ ♥ ♥ ♥ ♥

部室で春輝と蒼太と顔をつきあわせ、優は付箋《ふせん》だらけになった台本をめくる。

それとなく二人の様子をたしかめると、どうも手つきが怪《あや》しい。慌《あわ》てて戻《もど》ったり、妙なタイ

ミングで数ページ分をめくったりを繰《く》り返している。

(二人して目の下にあんな派手にクマをつくってりゃ、あたりまえか)

映画は撮影《さつえい》すれば終わりというわけではなく、その後の編集作業によって大きく変わる。しめきりから逆算すれば、そろそろ撮影を終えていなければならない時期だ。

(俺が合宿行ってる間も、二人で撮影を進めててくれてたんだよな……)

ここからは、優がバトンを引き継《つ》ぐ番だ。

自然と台本を持つ手にも力がこもり、声にも張りがでる。

「いまの話をまとめると、現段階で撮影できるシーンは全部撮《と》ったことになるな。一応、俺のほうでもフィルムと照らしあわせておくよ」

「……ああ、頼《たの》むわ」

少し掠《かす》れた声で応じる春輝の隣《となり》で、蒼太もぐったりした様子でうなずく。

矢《や》継《つ》ぎ早に質問するのも気がひけたが、現状を把《は》握《あく》できなければスケジュールの管理もできない。申し訳ないなと思いつつ、優はメモをとりながら続ける。

「もちた、早坂の絵ってどうなってる?」

「……それなんだけど……」

歯切れの悪さに、優は春輝に目配せをする。

春輝はだるそうに首をふり、「ん」とあごで蒼太をさした。

(もちたに任せてる、ってことか)

あかりへの連絡《れんらく》は、春輝と共謀《きょうぼう》し、蒼太が担当することになっていた。やりとり自体はメールなのだが、それでもかなり緊張《きんちょう》しているようだったから、気にはなっていたのだが……。


「まさか、音信不通とか言わないよな？」

「ちゃんと連絡とってるのか？」

「ハイ!?　さすがにそれはないから！」

心外だと眉《まゆ》をひそめる蒼太に、優と春輝が遠慮《えんりょ》なくツッコミを入れる。

「とか言って、顔あわせのときなんか酸欠寸前だっただろ？」

「俺が機転を利《き》かせて席を外させなかったら、絶対倒《たお》れてたな」

「そ、その節は、大変お世話になりましたぁー！　でも、マジで今回は大丈夫《だいじょうぶ》。週一で、進み具合を確認《かくにん》させてもらってるし」

蒼太はドンッと胸を叩《たた》いてみせるが、暗い顔ものぞかせていた。

「なら、なんでマズイみたいな顔してたんだよ」

「……それは、だから、その」


優の指摘《してき》に、再び蒼太がしどろもどろになる。

あと一押しだろうかと考えていると、ふいに春輝が指を鳴らした。

「早坂のほうに問題アリってことか」

(あ、なるほど。それはもちたも言いにくいわけだ)


実際、春輝の推理は図星だったらしい。

蒼太の顔色が一気に青ざめ、やがて渋々《しぶしぶ》といった様子でうなずいた。

「下書きも済んで、実際に塗《ぬ》りはじめてもらってるんだけど……何かが足りないって言って、仕上げの直前でストップしちゃってる感じ」


どこかで聞いたようなセリフに、春輝はしきりにうなずき、優は頭を抱《かか》えた。

「ものつくってると、どうしてもそんな瞬間《しゅんかん》があるんだよな」

「しかも、本人が心の底から納得するまで、周囲が何を言っても意味ないっていうね……」

経験による優の悟《さと》りきった発言に苦笑《くしょう》しながら、蒼太が続ける。

「一応、どこで行き詰《づ》まったのかも聞いたんだけどさ、本人もよくわかってないみたいなんだよね。哲学的《てつがく》な方向に煮詰《につ》まっちゃったのか、『恋《こい》って、なんでしょうね？』とか」

「あー、本格的にマズイな……」


頭をガシガシとかく優に、春輝はすかさず「何が？」と聞き返した。

これには蒼太も驚いたのか、ぽかんと発言の主を見つめている。

春輝は二人分の視線を一身に浴びながら、とくに気にした様子もなくあっけらかんと言う。

「別に早坂は『なぜ人は生まれてきたのか？』なんて哲学的な意味合いで、『恋ってなんだ？』って言ったわけじゃないだろ。単純にわからないから、そう言っただけのことで」

「……わ、わかんない。もう一声！」

「もちたは難しく考えすぎなんだよ。いいか？　つまり早坂は恋愛《れんあい》経験がない、以上」

次の瞬間、水を打ったように静まり返った。

春輝の言葉をかりれば、あかりは高校生になっても初恋《はつこい》がまだということになる。

(いや、でも、なくはないよな。人それぞれなわけだし)

優が内心でひとりごちると、おもむろに蒼太が口を開いた。

「……言われてみれば、僕もあかりんが初恋だ」

「もちた、自分で言ったくせに赤くなるなって……。こっちまで照れる」

「初恋こじらせてる優も、他人のこと言えないくせに」

くくっとのどの奥で笑う春輝に、優はしかめっ面《つら》になる。


(俺のほうこそ、おまえにだけは言われたくないんだけどな)

とっさに言い返しそうになるが、八つ当たりだとわかっているから口にはしなかった。

代わりに、少し意地の悪い質問をする。

「そういう春輝は、合田とどうなってるんだよ」

「別にどうも？　ただまあ、しばらく一緒《いっしょ》に帰れないとは言われたな」


なんてことない口調だったため、とっさに反応が遅《おく》れた。

暑さでやられかけた脳みそを一周、二周して、ようやく状況《じょうきょう》を理解する。

「……は？　おいおいおい、それって距離《きょり》を置こうねってことだろ？」

「思いっきり、どうかしてるじゃん！」

蒼太もイスから立ち上がり、ブンッと空を切って春輝を指さした。

だが当の春輝は机に頬杖《ほおづえ》をつき、茶の間でバラエティ番組でも見ているかのようだ。

「おまえら、リアクション熱いなー」

「春輝が冷めてるんだよ！　それでいいの？　理由は聞いた？」

我がことのように必死になる蒼太を、春輝がまぶしそうに見上げて言う。

「ん？　んー、コンクール用の作品制作が佳境《かきょう》だからって言ってたかな」

「じゃあ別に、春輝がどうこうってわけじゃないんだね？　よかったじゃん」

「ったく、人騒《ひとさわ》がせな……」

優も安堵《あんど》の息をついたが、肝心《かんじん》の部分がうやむやになったままだったと思い至る。

さきほども『合田とどうなのか』と聞いて、はぐらかされたばかりだ。優のほうも、意図的に『二人の仲に進展はあったのか』という言葉を省きはしたが、春輝がまったく動揺《どうよう》を見せなかったことが気になっていた。

「つーか、春輝と合田ってつきあってないんだよな？」

「あ、それ、僕も聞きたいと思ってた」

ここぞとばかりに蒼太が乗っかり、相変わらず二対一の構図のままだ。

だが春輝はやはり腰《こし》を浮《う》かせる様子もなく、「ふーん」とおもしろくなさそうにつぶやいた。

そして身を乗りだした蒼太を通り越《こ》し、優に向かって鋭《するど》い視線が飛んでくる。

「聞いてどうするんだ？　もし俺が、美桜とつきあってるなら……いや違《ちが》うな、なつき以外を好きだって言えば、優は安心するのか？　安心して、それで終わり？」

頭を殴《なぐ》られたような衝撃《しょうげき》だった。

優は言葉を失い、ぼう然と春輝を見つめ返すしかない。

（春輝の言う通りだ。俺は安心したかった）

痺《しび》れがとけた脳みそが、ゆっくりと働きだす。

そうして浮かんできたのは、これまで必死になって目をそらしてきた事実だ。

たとえ夏樹が春輝を想《おも》っていても、春輝が別の人を想っていれば最悪の事態は免《まぬが》れる。

告白予行練習の相手に選ばれてからずっと、そんな最低なことを願っていた。

しかも後ろめたい気持ちに気づかないように蓋《ふた》をして、鍵《かぎ》をかけて、夏樹の理解者のふりをしてきたのだから救いようがない。

（俺は結局、綾瀬や春輝に嫉妬《しっと》してただけだったんだよな……）


「なあ、優」

どれくらいぼうっとしていたのか、気がつくと蒼太に名前を呼ばれていた。

目があうと、心配そうな表情にほっとした色がまじる。

「難しいことはよくわかんないけどさ、お腹《なか》空かない？」

「えっ……」

とっさに何も言えないでいると、さっそく帰りの支度《したく》をはじめた春輝がうなずく。

「空きすぎて、胃に穴ができそう。俺、昨夜から何も食べてねーもん」

「春輝、昼休みも爆睡《ばくすい》してたからね……」

ハハハ、と蒼太の乾《かわ》いた笑いをBGMに、春輝の視線が再び優に向けられた。

さきほどのような鋭さはなく、口角がニッとあがっている。

「ラーメン、行っとくか！」

「……ついでに新規開拓《かいたく》しとこーぜ。スーパーの裏にできたってさ」

優も席を立ち、とっておきの情報を提供する。

「えっ、また新しいとこ見つけたの？　優ってほんと、ラーメン好きだよねぇ」


そのあとはもう、いつも通りの空気だった。

三人でなんでもないことでバカ笑いしながら、部室をあとにする。

（……いや、なかったことにしちゃマズイよな）

『聞いてどうするんだ？　もし俺が、美桜とつきあってるなら……いや違うな、なつき以外を好きだって言えば、優は安心するのか？　安心して、それで終わり？』

春輝の真意まではわからなかったが、優にとっては意味のある問いかけだった。

何が問題なのかはっきりすれば、解決したも同然なのだから。

校門をでる瞬間《しゅんかん》、春輝にだけ聞こえるようにつぶやいた。

「目が覚めた。ありがとな」

春輝は一瞬《いっしゅん》ぶいをつかれた表情をしてから、ニヤッと笑って優の肩《かた》に腕《うで》を回した。

「フラれたら、またラーメン食いに行こうぜ」

「え、縁起《えんぎ》でもないこと言うなぁー！」

♥ ♥ ♥ ♥ ♥

真新しいテーブルを囲む顔ぶれを眺《なが》め、優の表情に苦いものがさす。

右隣《みぎどなり》にはワンタンの春輝、正面にはネギ塩の蒼太、その隣にチャーシューの恋雪。皆《みな》一様に店主の腕をほめまくり、夏バテなど感じさせない食べっぷりを披露《ひろう》している。

(そう、ラーメンは美味《うま》い。最高だ)

優の手元にある醬油《しょうゆ》にしても、ついつい替《か》え玉を頼《たの》みたくなるほどに絶品だった。

ここの店も間違《まちが》いなく当たりだ。

(にしても、なんでこのメンツなんだ……)

記憶《きおく》を三十分ほどさかのぼればいいだけのことで、覚えていないわけではない。

ことの起こりは、駅前で恋雪の後ろ姿を見つけた蒼太が一目散に駆《か》けだしたことだ。ぶんぶんと手をふりながら駆け寄る様子は、まるで仔犬《こいぬ》のようだった。

『ゆっきー！　じゃなくて、綾瀬君！　もしよかったら、一緒《いっしょ》にラーメン食べない？』

『あはは、ゆっきーでいいですよ。ラーメン、ぜひ』

蒼太にとって恋雪は、あだ名で呼んだこともなかったような相手だ。

にもかかわらず親しげに声をかけ、恋雪もあっさりとそれに応じてみせた。

(な、何が起きてるんだ……？)


声も出ない優の背中を、春輝が小気味よく叩《たた》いて言う。

『いい機会なんじゃね？　腹割って話せば』

春輝は何を、どこまで知っているのだろう。

すべてを見透《みす》かされているようで、優はぎくりとする。

うかつに質問して藪蛇《やぶへび》になるのも嫌《いや》で何も言えずにいると、「沈黙《ちんもく》は同意」方式により、恋雪もメンバーに加わることになってしまったのだった。

（……もちたの奴《やつ》、めちゃくちゃ綾瀬に絡《から》んでるな）

ひとしきり麵《めん》を食べ終えると、蒼太は待ってましたとばかりに質問攻《しつもんぜ》めにしている。

話題の中心は、恋雪の変身ぶりについてだ。


「へえ！　じゃあ髪《かみ》は、雑誌に載《の》ってた青山のサロンでやってもらってるんだ」

「まずは形からと思って」

「うんうん、美容師さんによって仕上がりが全然違うもんね。カッコいいよ、それ」

面と向かってほめられて気恥《きは》ずかしくなったのか、恋雪は体を縮こまらせてうつむく。

「中身は変わらないので、限度がありますけど……」

力なく笑う恋雪に、蒼太は励《はげ》ますように言う。

「ゆっきーはさ、もっと自信を持っていいと思う。自分を変えられるってすごいことだよ！」

はじめこそ圧倒《あっとう》されたように口を開けていた恋雪だったが、蒼太が本音で言ってくれているのがわかったのだろう、照れくさそうな笑顔《えがお》を見せた。

（こうして話を聞いてる分には、劇的にキャラ変更《へんこう》してるわけじゃないんだよなぁ）

たしかに外見は変わったが、公園で優に挑発《ちょうはつ》的な言動をとったときのような、ふてぶてしい雰囲気《ふんいき》はまるで感じられなかった。

（……まあ、人の顔を見て話すようにはなったか）

これまでは長い前髪《まえがみ》で目を隠《かく》すようにしていたし、うつむき加減でいることが多かったように思う。まともに視線があうのは、マンガの話をするときくらいのものだった。

『理由はなんにしろ、ああやって自分を変えられるのってスゴイよね』

夏休み直前、窓の外にいた恋雪を見て、蒼太はまぶしそうに目を細めて言った。

優はそんな幼なじみに「もちたはもちたのままでいい」と伝えたが、本人が心から納得《なっとく》できなければ意味がないこともわかっている。

（変わりたい、か……）

次の瞬間、その場がしんと静まり返った。

不審《ふしん》に思うと同時に、三人の視線が自分に集まっていることに気づく。

「……な、何？　どうかした？」

「いや、優が言ったんじゃん。『変わりたい』って」

れんげを握《にぎ》りしめたまま固まっていた蒼太が、戸惑《とまど》った様子で言う。

ちらりと春輝を見ると、「だな」とうなずかれてしまう。


（うわ、やらかした……！）

心の中でつぶやいたつもりが、声に出してしまっていたらしい。

うまいこと冗談《じょうだん》に変えてしまう方法も思いつかず、優は気まずさに視線をさまよわせる。


「瀬戸口君でも、そんな風に思うんですね」

沈黙を破ったのは、蒼太でも春輝でもなく、恋雪だった。

意外だと言いたそうな口調で、目をまたたいている。

「……思っちゃ悪いのかよ」

「あ、そういう意味じゃなくて……。僕から見たら、瀬戸口君は『持ってる』人なので」

独特な言い回しをするのは、春輝と似ていた。

だが春輝と違《ちが》うのは、恋雪の発言からは棘《とげ》のようなものを感じることだ。

(自意識過剰《かじょう》っていったら、そうなんだけどな……)

公園での一件があってからは、あながち優の勘違《かんちが》いでもなかったことが証明されている。


受け流すべきなのか、受けて立つべきなのか。

迷ったのは一瞬で、優は自分の器《うつわ》から恋雪のものへとチャーシューを入れた。

「ありがとう。お礼にチャーシューをわけてしんぜよう」

「えっ、いいな！　僕もほしい」

すかさず声をあげる蒼太に、春輝も悪ノリする。

「大丈夫《だいじょうぶ》だ、優を崇《あが》め奉《たてまつ》るだけの簡単な仕事だからな」


一気に騒《さわ》がしくなった二人に、恋雪が目をしばたたかせる。

それから、ふっと呼気だけで笑った。

「うん、やっぱり瀬戸口君は持ってますね」

何をとは言わなかったが、さびしげな表情でそれとなく察しがついてしまった。

優はその話題にふれるかどうか迷い、自分の感想をこぼすだけにした。

「普段《ふだん》はうるさいだけだけどな」

「……でも、うらやましいです」


恋雪の返事に、優は彼へのイメージを少しだけ改める。

（いまの、本音なんだろうな……）

恋敵《こいがたき》だと認定《にんてい》され、一方的につっかかってくる印象がぬぐえなかったが、それだけではなかったらしい。挑発や嫌《いや》みである以前に、思ったことを口にしていただけなのかもしれない。


もちろん、焚《た》きつけるような発言もあった。

勝負という言葉を持ちだしたのも、立場をはっきりさせろと迫《せま》られたようなものだった。それも、優が夏樹を幼なじみ以上に想《おも》っていることが前提で。


そこまで考えて、はたと気がついた。

（なんで綾瀬は、わざわざ俺の立場をはっきりさせたがったんだ？）

争う相手は一人でも少ないほうがいいに決まっている。

相手が様子見をしている間に、夏樹にアプローチしたほうが勝率も上がるというものだ。

（それじゃあ、まるで綾瀬は……）

「隙《すき》あり！」

考えごとに没頭《ぼっとう》するあまり、横から迫る陰《かげ》に気がつかなかった。

蒼太のはしゃいだ声と共に、器からまた一枚、分厚いチャーシューが旅立っていく。

「チャーシューはもらっていくぜっ」

「……もちたぁ、食事時くらい静かにしなさい！」

「優、おまえも充分《じゅうぶん》うるさい」

打ち合わせでもしたのか、三人がそろうとコントのようになるから不思議だ。

恋雪も「息ぴったりですね」などと言って、こらえきれずに笑いだした。

（こいつらといると、シリアスぶらせてくれないよな……）

聞こえよがしにため息をつき、優は器を抱《かか》えて麺《めん》をすすりはじめる。そうでもしないと、ゆるんだ口元をさらすはめになるからだ。

恋雪の言う通り、優はいい友人を『持っている』。

だから、降ってわいた恋雪への疑問は、味わい深いスープと共にのみこむことにした。

騒がしくも、なごやかな空気を壊《こわ》さないために。

♥
♥
♥
♥
♥

しかし「そのとき」は、すぐにやってきた。

ラーメン屋の暖簾《のれん》をくぐって外に出た瞬間《しゅんかん》、真剣《しんけん》な口調で恋雪に呼び止められたのだ。


「瀬戸口君、あと少しだけ僕に時間もらえませんか」


突然《とつぜん》の指名に優はぎょっとし、蒼太はすかさず「僕も！」と挙手した。

だが恋雪は、申し訳なさそうに眉根《まゆね》をさげる。

「できれば、二人きりでお願いしたいんですけど……」

(誤解招きそうな言い方するなっての！)

優の心の声が聞こえたのか、春輝はニヤッと歯を見せて笑う。

「そこまで言われたら、優も応《こた》えざるをえないよなぁ」

こちらの意志など、まるっと無視だ。したり顔の春輝は、まだ話し足りなそうにしている蒼太の襟首《えりくび》をつかみ、もう片方の手でひらひらと手をふって去っていく。


残された優は、なんともいえない疲労感《ひろうかん》と共に空を仰《あお》いだ。

すっかり陽《ひ》が傾《かたむ》き、淡《あわ》い光を放つ月が見える。

（ここまでくると、何がしかの大きな意志を感じられずにはいられないな……）

このイベントを通過しないと、エンディングを迎《むか》えられない仕様なのかもしれない。

冗談《じょうだん》とも本気ともつかないことを考えながら、優は不承不承うなずいた。


恋雪はほっと息をつき、「場所変えましょうか」と言って歩きだす。

どこまで行くのか聞いたほうがいいだろうかと思った矢先、近くの駐車場《ちゆうしや》で足が止まった。

（人には聞かれたくない話、ってことか）

駅の裏手は再開発中で、近くにはスーパーがあるだけだ。

生ぬるい風に乗り、タイムセールのにぎやかな呼びこみの声が届く。


「それで、話って？」

「勝負する気になってくれましたか?」

ほとんど同時に、お互《たが》いに質問をぶつけていた。

間合いをとった優に対し、恋雪はいきなり切りこんできたため、まともに動揺《どうよう》してしまう。


「えっ、はい?」

戸惑《とまど》う優に、恋雪は遠慮《えんりょ》なくさらに踏《ふ》みこんでくる。

「僕は長期戦覚悟《かくご》です」

「いや、だからさ……」


なんの話だよと言いかけて、意味がないなと口をつぐんだ。

話が通じないというより、自分のペースに持ちこみたいのだろう。

思わず鼻白みそうになるが、優は深呼吸ひとつで受け流す。これまで組手を避《さ》けてきた自覚がある分、相手を責める気にはならなかった。

(こうなったら仕方ない、こいつの用意したリングにあがりますか)

「……この間も勝負がどうとか言ってたけど、おまえだって告ってないんだろ」

「はい」

図星をさされたと慌《あわ》てるでもなく、恋雪はにっこりと微笑《ほほえ》んだ。

あまりの清々《すがすが》しさに、優のほうがぎょっとする。

「はい、ってそれだけかよ？」

「はい」

ハンコを押したように、まったく同じ反応が返ってきた。


もしかしたら、これも挑発《ちょうはつ》の一種なのかもしれない。

ここで乗らなければ、後日また呼び出しを食《く》らうはめになるのは目に見えている。

（ほっんと、めんどくせー！）

内心毒づきながらも、優はあえて挑発に乗ることにした。


「……俺がなつきに恋愛《れんあい》感情を抱《いだ》いてると仮定して、ひとついいか？　夏休みに公園で会ったとき、もし俺があいつに告白したら、おまえはどうするつもりだったんだ？」

優の問いかけに、恋雪から笑《え》みが剥《は》がれ落ちた。

だがすぐに元《もと》に戻り、ますます笑みを深くして言う。

「正々堂々、勝負を挑《いど》んでいたと思いますよ」


恋雪の答えを聞き、優は「ああやっぱりな」と唇《くちびる》を歪《ゆが》める。

わざわざ夏樹の前で挑発したのは、優の気持ちを白日の下《もと》にさらすのが目的だったのだ。

そこまでは予想通りだったが、肝心《かんじん》の理由がわからないままだった。

「……おまえは、何が目的なんだ？　ライバル増やして、勝率下げて、どうしたいんだ？」

「言ったでしょう、正々堂々と勝負がしたかったんです」

今度こそ、恋雪から笑顔は消え去っていた。

言葉だけでなく、全身から挑むような気迫《きはく》を感じる。


どう反応すべきか迷う優に、恋雪はさらに続けた。

「あれは僕なりの宣戦布告です。いまこうして、瀬戸口君の前に立っていることも」

「……だから、なんで俺なんだよ……」

掠《かす》れきった声は、恋雪に届いただろうか。

誰《だれ》に聞かせるでもなく、ほとんどひとりごとだった。

（なつきが好きなのは、俺じゃない）

真実を告げれば、リングに立てと迫《せま》られなくなるのかもしれない。

そう思うと、のどまで声がでかかる。

だが、解放されたい一心で夏樹の気持ちを密告するのは、話が違《ちが》うだろうとも思う。第一、夏樹が誰を好きであっても、恋雪の態度は変わらないかもしれないのだ。


優は思考をふりはらうように、前髪《まえがみ》をかきあげた。

少しだけクリアになった視界で、まっすぐに恋雪をとらえる。

「おまえ、本当になつきのことが好きなのか？」

「……瀬戸口君は、僕の名前知ってますか？」

「はっ？」


質問に質問で返された挙げ句、いきなりの話題転換《てんかん》についていけず、優は目を白黒させる。

しかし当の恋雪は真面目《まじめ》な表情で、淡々《たんたん》と続けた。

「恋に雪と書いて『こゆき』。女の子みたいでしょう？　見た目もああだったから、周囲には『ゆきちゃん』なんて呼ばれて……」

「けど、なつきは『こゆき君』って呼んでただろ？」

思わず言い返すと、恋雪はしあわせを噛《か》みしめるように「はい」とうなずいた。

（ああ、そういうことか……）

恋雪にとって夏樹は、自分を変えるきっかけをくれた人物だという。

それは「自分を変える勇気をくれた」だけでなく、「夏樹のために変わりたいと思った」という意味も含《ふく》まれていたのだ。

（だったら、なんで俺を煽《あお》るんだ？）

ますます疑問が深まり、優は改めて恋雪を見やる。

「おまえ、やたら勝負にこだわってるけど、そもそもなんの勝負なんだ？　あいつにＯＫもらえたほうの勝ち？　ハッ、くだらない」

徐々《じょじょ》に熱が入り、優は一気にまくしたてた。

「よーいドンで告白して、なんの意味があるんだよ。なつきが選ぶのはたった一人だし、もしかしたら両方選ばれない可能性だってある。ああそうか、フラれたらなぐさめあうのか」

思った以上にヒートアップしたらしく、言い終わる頃《ころ》には息が乱れていた。

対する恋雪は黙《だま》ったきり、じっとこちらを見上げている。

その瞳《ひとみ》から感情を読みとることはできず、優は一方的に続けるしかない。

「なあ、なつきの立場にもなってみろよ。友人と幼なじみに同時に告白されて、どっちも断らなきゃならなくなったら……相当しんどいだろ？」

「瀬戸口君は、フラれるのが前提なんですね」

ようやく声を発した恋雪の口元には、苦笑《くしょう》が浮かんでいた。

（苦笑したいのはこっちだ）

あえて「瀬戸口君は」と言ったのは、自分は違うと主張したいからだろう。本当に自信があるのか、こちらを煽るためなのかはわからないが、どちらにしても意味がない。

（結局おまえは、大事なことがわかってないんだ）

優はなぜか泣きたい気持ちになりながら、皮肉げに笑ってみせた。

「勘違《かんちが》いよりマシだ。おまえはなつきに、好きって気持ちを押しつけたいだけなんじゃないのか？　いくら好きでも、相手に押しつけるのは違うだろ」

「……僕はただ、ありのままの榎本さんが好きなだけですよ。たとえ彼女の想《おも》いが僕に向けられていなかったとしても、そんなところも含めて好きなんです」


理解不能だ。

優は正直に「なんだそれ?」と聞き返したが、恋雪は静かに笑っている。

そのまましばらく待っても、それ以上の答えは返ってこなかった。


(言うだけ言って、帰るべきだったかな……)

話を切りあげるタイミングを見失っていると、鞄《かばん》の中でスマホのバイブが鳴った。

この時間だから、きっと相手は雛だろう。夕飯どうするの、とでも書いてあるに違いない。

(雛の奴《やつ》、返信遅《おそ》いとうるさいからなぁ。最悪、電話かけてくるし)

ちょうどいい機会だし、このまま退散してしまうべきだ。

そんな優の考えが垣間見《かいまみ》えたのか、恋雪が何か言いたげな視線を投げかけてきた。

「ああもう! だから、はっきり口で言えって!」

たまらず叫《さけ》ぶと、恋雪は信じられないようなことを言ってくる。

「僕は瀬戸口君の答えを待ってたので」

「は？　はあ？」


前言撤回《てっかい》だ。

自分のペースに持ちこみたいからではなく、本当に話が通じない。

どっと疲労《ひろう》が押し寄せ、優はたまらずため息をつく。

（……こんなのは、もうこれっきりにしないとだよな）

そのためにも、きっぱりと意思表示をしなくてはならなかった。

相手がもっとも聞きだしたかったであろう、優の気持ちを。


「なんと言われようと、俺はなつきに告白なんてしない」

恋雪は驚《おどろ》いたように息をのみ、それから「失敗した」という顔になった。

その反応に、優は立ちくらみを覚える。

（やっぱり恋雪は、俺を説得して一緒《いっしょ》に告白するつもりだったのか……）

いまさら理由を聞く気にもなれず、くるりと恋雪に背を向けた。

「また明日《あした》、学校で」

ひりつくのどから無理やり声を出し、その場をあとにする。

背後からは返事もなければ、呼び止める声もない。

(変わったっていうか、綾瀬の場合は素《す》を隠《かく》さなくなったってことなのかもな)

そんなこと間違《まちが》っても蒼太には言えないなと苦笑しながら、優は足早に歩いていく。

熱くなった頬《ほお》を、ひんやりとした風がなでていった。

(あーあ、本格的に夏も終わりなんだなぁ……)

一人残された恋雪は、どんな顔をしていたのか。

暗くなった空に輝《かがや》く月だけが見ていた。

Hina Setoguchi

瀬戸口《せとぐち》 雛《ひな》

誕生日／8月8日
しし座
血液型／A型

優の妹。夏樹の気持ちに
気づいているようで、
協力的……？
いつも明るく、前向き。

practice
～練習6～
6

practice 6 ～練習6～

「あ、月が見える」

誰《だれ》もいない放課後の教室で、夏樹は頬杖《ほおづえ》をつき、ぼうっと窓の外を眺《なが》めていた。

そういえば現国の授業で先生が、「中秋の名月が素晴《すば》らしかった」とか「秋分の日を過ぎ、昼と夜の長さが入れ替《か》わった」などと言っていたのを思いだす。

制服も夏服と冬服の移行期間に入り、半袖《はんそで》から長袖《ながそで》へと変わっている。

(変わらないのは私くらい、とか笑えないから……)

窓に背を向け、机に置きっぱなしだったケータイを開く。

新着メールはなく、待ち受け代わりのカレンダーと目があった。夏休み明けに出品したコンクールの結果は、もう間もなく発表されることになっている。

「またいつもと同じかなぁー……」

自分のつぶやきに眉《まゆ》をひそめ、夏樹は机につっぷした。

（なんかもう、頭ぐちゃぐちゃだよ）

夏休みの一件以来、優とは気まずい空気が漂《ただよ》うようになってしまっていた。

恋雪と何かあったから泣いたわけではない、優の迫力《はくりょく》に驚いたからだ。

きちんとそう説明して誤解は解けたと思っていたのに、また新たな問いが飛んできた。

『じゃあ、綾瀬に抱《だ》きしめられてたのは？　あれはなんで？』

聞かれて改めて記憶《きおく》をたどったけれど、夏樹にも理由らしい理由はわからなかった。もう一人の当事者である恋雪に聞かなければ、本当の理由はわからないだろう。

（正直に答えたんだけどなぁ。さすがに、こゆき君の名前はだせなかったけど）

それでは優を納得《なっとく》させることはできず、以来、なんとなく態度がよそよそしかった。

（こんなんじゃ、告白どころじゃないよ……）


ちらっと視線をあげると、目の前には優の机がある。

教室に自分以外いないのを確認《かくにん》し、夏樹はおもむろに席を立った。

「……優、机にメモとってるし」

見慣れた文字を指でなぞり、仕方ないなあと苦笑《くしょう》をこぼした。

みんなと同じ机、同じイスのはずなのに、そこかしこに優の気配が残っているようだった。

「ちょっとくらいなら、いいかな」

鼓動《こどう》が速くなるのに気づかないふりをして、ゆっくりと優のイスをひく。

少しだけだからと言い訳しながら、そのまま座りこんでしまった。

「やばい、ヘンタイみたいだ……」


「なつき？　何してんだ？」


だし抜《ぬ》けに声をかけられ、夏樹は「わぁ!?」と悲鳴をあげて席を立つ。

開けっ放しのドアの前にいたのは、不幸中の幸いにも机の持ち主ではなかった。

「は、春輝？　どうしたの、忘れもの？　って、クラス違《ちが》うじゃん」

「自主ツッコミ、お疲《つか》れ様でーす」

春輝はニヤッと笑い、小さく敬礼してみせる。

こちらの動揺《どうよう》ぶりに気づいているのかいないのか、普段《ふだん》通りの様子だ。

（大丈夫《だいじょうぶ》かな、優の席だってバレてないかな……？）

「それでなつきは、優の席になんの用なんだ？」

あっさりと指摘《してき》され、夏樹はカーッと顔を赤く染めた。

あわあわと手をふりまわしながら、「いや、あの、これは」とまくしたてる。

春輝は「ふーん」と興味なさそうにつぶやき、どんどん近づいてくる。

「ちなみに俺は、貸しっぱなしだったモンとりにきたっていうね。ちょっと悪い」

優の机の中からとりだしたのは、分厚い辞書だった。付箋《ふせん》だらけで、表紙もくたびれており、一目見てかなり使いこんであるのがわかる。

「……英和辞書？」

「ん、ちょっとな。特別に課題が出てるんだよ」

「ああ！　春輝、英語は壊滅《かいめつ》的だもんね」

「うっせ、言ってろ。いまにペラッペラになってやっから」

いつもの軽口の応酬《おうしゅう》に、夏樹はほっと息をつく。

だが直後、再び春輝から口撃《こうげき》が飛んでくる。

「で、おまえは？　告白予行練習、まだ本番いってないのかよ」

「……そ、れは……その……」

最初に告白のセッティングをしてくれたのは、ほかでもない春輝だ。

本番ではなく予行練習に終わってしまってからも、「俺は話を聞くだけだからな？」と言いながら何かと相談に乗ってくれている。

男子目線からアドバイスをくれる、貴重な相手でもあった。

（公園の一件があってから、優と気まずくなっちゃってることは言えてないんだけど）

春輝には、コンクールの追いこみがあるから告白予行練習が中断している、としか伝えていなかった。だが結果発表を待つだけとなったいまでは、その言い訳も通用しない。

夏樹が答えられずにいると、春輝はやれやれというように肩《かた》をすくめた。

「……不甲斐《ふがい》なくて、ごめん」

「別に？　おまえには、おまえのタイミングがあるってことだろ。俺が応援《おうえん》してやってるんだから、さっさと玉砕《ぎょくさい》してこいよ！　とは、さすがに言えないしな」

「春輝、それ笑えない」

真面目《まじめ》に言っているのに、春輝は遠慮《えんりょ》なく爆笑《ばくしょう》してくれた。

「……なんて、俺も他人《ひと》のこと言えないんだけどな」

優の机に腰《こし》をおろし、春輝がじっとこちらを見上げてくる。

めずらしく自嘲《じちょう》気味な笑《え》みを浮《う》かべる幼なじみに、夏樹は目を見開く。

「初耳だよ！　春輝も好きな人、いるんだ⁉」

「おお。いたら悪いか」

照れ隠《かく》しのようにぶっきらぼうに言う春輝に、夏樹は力の限り首をふる。

「そんなことない、応援するよ！」

「即答《そくとう》かよ」

ふきだした春輝の顔は、たった一瞬《いっしゅん》でもうふっきれたものになっていた。

（そっか、春輝にも好きな人が……）

美桜だったらいいのにとは思うけれど、それを自分が聞くのはためらわれた。

だから相手が誰《だれ》かを聞く代わりに、もうひとつ気になっていることを問いかける。

「春輝のほうは、なんで告白できてないの？」

「……いま撮《と》ってるのが完成しないと、落ちつかなねーなと思って」


幼なじみの直感で、春輝が嘘《うそ》をついているのはわかった。

嘘というより、本当のことをすべて言っていないという感じだ。

(言いたくないなら、仕方ないよね)

夏樹はさきほどの春輝のように、「ふーん」とだけ相づちを打つ。

「それなら、春輝も告白予行練習やってみれば?」

「……は?」

信じられないことを聞いたとでも言いたげに、春輝の目が、見開かれた。

その反応に、言葉が足りなかったなと思い、夏樹は慌《あわ》てて付け加える。


「私が言ったのは、相手に告白してきたらってことじゃなくて……」

「ああ、おまえに?」

相変わらず察しのいい春輝に助けられ、夏樹は勢いよくうなずく。

「そう! 私も実際にやってみて思ったんだけど、練習とはいえ、すっごく緊張《きんちょう》するんだ。それで、相手に好きだって言ったあとは……」

あのときのことを思い出したのか、鼓動が騒がしくなった。

夏樹はカーディガンの上から心臓にそっとふれ、じっとこちらを見ている春輝に笑いかける。

「今度は本当に告白しようって、そう思うようになるよ」

「……へえ、いいじゃん」

春輝が、とけるような笑顔を見せる。

誰《だれ》かのことを想《おも》っての、やさしい表情だった。


(春輝も、こんな表情をするんだ……。うまくいってほしいな)

たとえ相手が誰でも、夏樹は応援しようと心に誓《ちか》う。

もちろん美桜のことも応援しているが、それとは別に、純粋《じゅんすい》に春輝の想いが叶《かな》ってほしい。

恋愛《れんあい》感情はままならないものなのだと、改めて思い知る瞬間《しゅんかん》だった。


告白予行練習をすると決めた春輝は、さっそく口の中でもごもごと練習をはじめた。

ああでもないこうでもないと言いながら、告白のセリフを考えている。

(邪魔《じゃま》にならないように、ベランダで待ってようかな)

夏樹が一番後ろの窓に向かって歩きだすと、真剣《しんけん》な声に呼び止められる。

「待った。準備できたから、頼《たの》むわ」

「あ、うん……」

いままで見たこともないくらい、春輝の顔には緊張が走っていた。

向かいあう夏樹も、途端《とたん》に心臓がざわめきだした。

(練習ってわかってても、ドキドキするなぁ……)

一歩一歩、春輝が距離《きょり》をつめてくる。

夏樹は思わずうつむき、近づいてくる上履《うわば》きを見つめた。

「……あのさ」

震《ふる》えた声が、鼓膜《こまく》を揺《ゆ》らす。

意を決して顔をあげると、そこには外の夕陽《ゆうひ》にも負けないくらい赤い顔があった。

「おまえは勘違《かんちが》いしてるかもしれないけど、俺はあいつのことが好きなんじゃねぇ……」

深呼吸をひとつして、春輝が続ける。

「おまえのことが、好きなんだ」


次の瞬間、ガタンッと大きな音を立ててドアが揺れた。

夏樹と春輝は弾《はじ》かれたようにふりかえるが、そこに人影《ひとかげ》はない。

「……風、かな」

「かもな」

最後のアクシデントもあって、これでもかと鼓動《こどう》が速くなっている。

心配になってそっと胸に手をあてると、目の前の春輝もまったく同じことをしていた。

二人で顔を見あわせ、どちらからともなく笑いだす。


「やべぇ、告白ってこんなに緊張するもんなのか」

「あ。いまさらだけど、春輝って告白するのはじめてなんだ？」

「おう。普段《ふだん》は、されてばっかだからな」

「はあ？　言ってればー」

夏樹の切り返しに春輝がふきだす。

つられて夏樹も笑い、それまでの緊張感《きんちょうかん》はあっという間に消え去った。

（……春輝、さっきと顔つきが違《ちが》ってる）

彼の中で、何かが変わったのだろう。

きっと自分もそうなんだろうなと、夏樹は内心でひとりごちる。

（私も、勇気をださなきゃ……）

ぐっと拳《こぶし》をにぎりしめ、ふっきるように宣言する。

「私も、コンクールで入賞できたら……今度こそ、ちゃんと優に告白する」

夏樹の決意に、春輝は片眉《まゆ》を跳ねあげる。

不思議に思って視線で問いかけたけれど、とうとう春輝は何も言わなかった。

いま思えば、察しのいい幼なじみには、このあとの展開が見えていたのかもしれない。

夏樹のことも、自分自身のことも。

❤　❤　❤　❤　❤

立てつけの悪い部室のドアが、いまだかつてない勢いで開け放たれた。

驚《おどろ》いて顔をあげた優の視界に飛びこんできたのは、肩《かた》で息をする蒼太だった。

いったいどこから走ってきたのか、その顔は真っ赤に染まっている。


「早かったな。って、春輝は一緒《いっしょ》じゃないのか？」

自販機《じはんき》に行くと言ったきり戻《もど》ってこない春輝を、蒼太が捜索《そうさく》に向かったのは十分ほど前だ。

あてどなく寄り道を繰《く》り返す相手を捕《つか》まえるのは、一苦労どころか百苦労はする。だから当分帰ってこないものだと思っていたのだが、今日はいつになく早い帰還《きかん》だった。


「お、おお、落ち着いて聞いてくれ」

あまりの動揺《どうよう》っぷりに「それはおまえのほうだ」とは言えず、優はおとなしくうなずく。

蒼太は息を整えながら、ぷるぷる震える手で床《ゆか》をさした。

「い、いま、教室で……春輝が、なつきに！　こ、告白してた……」

予想外の言葉に、優は息をするのも忘れた。

酸素が足りないと心臓がわめき、激しく脈を打つ。

（なんだよ、それ……！）


裏切られた、ありえない、何を考えてるんだ。

脳内を駆《か》けめぐるのは、どれも怒《いか》りに任せた言葉たちだ。

だがすぐに別の自分が、春輝の自由じゃないかと抗議《こうぎ》の声をあげる。

夏樹に告白してはいけないと、どこの誰《だれ》が決めたんだ？

優に答えられるわけもなく、結局最後に残ったのは自分自身への失望だった。


（やっぱ俺、なつきのこと見守るなんて無理なんじゃん）

恋雪に面と向かって言い放った誓《ちか》いは、あっけなく崩《くず》れ去ってしまった。こうして春輝を問い詰《つ》めたい衝動《しょうどう》がわきあがってきた以上、誤魔化《ごまか》しようがない。

（けど、だからって、どうすりゃいいんだよ……）


気がつけば、苛立《いらだ》ちに任せて髪《かみ》をかきむしっていた。

痛みと音に我に返り、優は行き場のない怒りに「くそっ」と舌打ちする。

「……優ってさ、器用貧乏《びんぼう》って感じだよな」

すっかり呼吸が落ちついていた蒼太が、ぼそっとつぶやいた。

とっさに発言の意味をはかりかね、優は「え？」と生返事になる。


蒼太は肩をすくめ、どこか責めるような口調でまくしたてた。

「イライラして、舌打ちして、髪をかきむしって、それで終わり？　もっとさ、感情のままに叫《さけ》べばいいじゃん。ふざけんな、って。自分を出すのがそんなに怖《こわ》い？」

これまでにない、ストレートで辛辣《しんらつ》な言葉だった。

優の心臓を的確に狙《ねら》い、鋭《するど》い痛みで刺《さ》してくる。痛みに任せ、それこそ叫びだしそうだ。


しかし、それでもなお、優は衝動を吐《は》きだすことなくのみこんだ。

ぐっと唇《くちびる》を嚙《か》みしめ、黙《だま》って蒼太を見つめ返す。

「……そんなことしても、起きたことは何も変わらないだろ」

「そうだね。でも行き場を失った優の気持ちは、どこに行くのかな？」

「さあ？　そのうち消えてなくなるだろ」

投げやりに答える優を、蒼太は許してくれない。

「なくならないよ、心の底にたまっていくだけだ。優自身にも無視されて、かわいそうにね」

今度こそ、心臓が止まるかと思った。蒼太の言葉に貫《つらぬ》かれ、もう虫の息だ。

「……じゃあ、どうしたらいいんだよ……」

こぼれた声は涙《なみだ》まじりで、そのことにまた胸が悲鳴をあげる。

もう顔をあげていられずに、優は力なくうなだれた。

（ほんと、情けない……）


その光景をどう思ったのか、ゆっくりと足音が近づいてくる。

優は思わず身構えるが、蒼太は無言だった。

やがて、長机の上に散らばった紙をかき集めるような音が聞こえてきた。

「僕だったら、いまのこの気持ちを脚本《きゃくほん》にぶつけるかな」

「……え？」


予想もしなかった方向からの言葉に、優はあっけにとられて顔をあげる。

蒼太はかすかに笑い、直後、紙の上にシャープペンを走らせた。

思いついたままに書きつらねているらしく、動きは大胆《だいたん》で速い。ときどき立ち止まっては、二重線をひいたり、あっちこっちに文字が飛んでいく。

しばらく見入っていると、蒼太が思いだしたように口を開いた。

「ここからは僕のひとりごとだから、聞き流しておいて」

そう言って優の返事も待たずに、淡々《たんたん》とした調子で話しだす。

「僕、指定校推薦《すいせん》を狙ってるんだよね。その関係で、進路指導の半田《はんだ》先生のとこによく顔をだすんだけどさ……春輝、アメリカの大学に進むかもって」

「は？」

途端《とたん》に、乾《かわ》いた声がでた。

しかし蒼太は「ひとりごと」を続ける気らしく、優のほうを見もせずに言う。

「部活以外にも、春輝は一人で短編を撮《と》ってたみたい。それをコンペに出してたらしくて、いいとこまで進んでるって。賞金も出るし、副賞には……留学もついてるって……」

声にならなくなったのか、蒼太はそれきり黙ってしまった。

それでもシャープペンの動きが止まることはなく、優はいっそ感心してしまう。

「……俺にはそういう情熱を傾《かたむ》けられるようなもの、まだ見つかってないな」

春輝に対してなのか、蒼太に対してなのか。

とっさに自分でもわからなかったが、たぶん両方なのだろう。

ずっと「何もない自分」が嫌《きら》いで、不安でたまらなかったのだから。

そんな気持ちを知ってか知らずか、蒼太がフォローするように言う。

「また優は……。へんなとこ、自分を下げるよね」

「いや、事実だし……」

ふいに蒼太が手を止め、まっすぐにこちらを見た。

「僕がこうして脚本を書くようになったのは、優が背中を押してくれたからだ」

断言されたものの、優には心当たりがない。

戸惑《とまど》う視線に気づいたのか、蒼太が「覚えてないの？」と頬《ほお》をふくらませた。

「春輝みたいにセンスがあるわけじゃなし、優みたいにうまくスケジュールを回したり、人を集めて協力してもらうこともできない……。僕にできるのは、雑用係くらいだ」

台本をなぞるように言う蒼太に、優はハッと息をのむ。

「それ、たしか去年も言ってたよな……？」


蒼太はパアッと表情を明るくしたが、すぐに失敗したという顔になる。わざとらしく肩《かた》をすくめ、やれやれと言わんばかりにため息をついた。

「遅《おそ》いよ〜。その分じゃ、自分が言ったことも覚えてないいんじゃない？」

ちらっと視線を投げかけられ、優は苦笑《くしょう》しながら答える。

「何言ってるんだよ、もちたには脚本書く才能があるだろ」


あのときと同じセリフを繰《く》り返しただけなのに、不思議と心があたたかくなってくる。

蒼太を見つめ返すと、今度こそ満面の笑《え》みを浮《う》かべていた。

「僕は平々凡々《へいへいぼんぼん》で、特別なことなんか何もない。そんな僕の中にも、才能の欠片《かけら》があったんだよ？　優の中にだってあるに決まってるじゃん」

「……探してみるよ」

すぐには答えが出なくても、もう自暴自棄《じぼうじき》になったりはしない。

このまま春輝が部室に戻《もど》ってきても、みっともなく八つ当たりすることもない。

(もちたは、遠回しに気づかせようとしてくれてたんだ……)

感情を爆発《ばくはつ》させられないのも、春輝に当たりそうになるのも、自分に自信がないからだと。

認めてしまえば、長らく苛《さいな》まれてきた劣等感《れっとう》も、たいしたものではないような気がしてくるから不思議だ。たぶん、見えない幽霊《ゆうれい》に怯《おび》えるようなものだったのかもしれない。


一方で、ずっと見ないようにしてきたこともある。

そうと気づいてしまえば、もう目をそらすことはできなかった。

(俺がなつきに告白しなかった『本当の理由』は、たぶん……)


ずっと変わらなかった、幼なじみという関係。

永遠にも思えた絆《きずな》は、この先も変わらずにいられるのか。

審判《しんぱん》のときは、すぐそこまで近づいてきていた。

Miou Aida

合《あい》田《だ》美《み》桜《おう》

誕生日／3月20日
うお座
血液型／A型

夏樹の親友。
美術部副部長。
みんなからの信頼が
厚い努力家。
春輝とは話があうもよう。

practice
～練習7～
7

practice 7 ～練習7～

学校から駅までは、マラソンの授業にはもってこいの坂が続いている。

体育の授業か、遅刻《ちこく》寸前でもなければ誰《だれ》も走ろうとは思わない。

実際、夏樹もそれ以外で全力疾走《しっそう》するのは高校三年間ではじめてのことだった。

(だ、誰も、追いかけてきてない、よね……?)

恐《おそ》る恐る首を回すと、目の届く範囲《はんい》には誰も見つけられなかった。

下校する生徒たちの混雑が一段落したいまは、前方にも人影《ひとかげ》はない。


ほっとしたのも束《つか》の間、ガクンと膝《ひざ》に衝撃《しょうげき》が走った。

「わっ、わわ……!?」

足がもつれ、夏樹は急停止するしかなかった。

その拍子《ひょうし》にローファーが片方脱《ぬ》げてしまったが、飛びはねる気力も体力も残っていないので、
仕方なく靴下《くつした》のまま歩いて戻った。

「……だ、誰も見てなくて、よかった……」

いくらなんでもダサすぎる。

地味な精神攻撃《こうげき》に見舞《みま》われながら、なんとかローファーを拾った。

「あーあ、帰ったら、中洗わないとなぁ」

ローファーは水洗いできただろうか。調べる手間を考えただけで頭痛がする。

かといって、このまま右だけ靴下で帰るわけにもいかない。

おとなしく履《は》き直そうと下を向くと、額からこぼれた汗《あせ》が目にしみた。

思わずカーディガンの袖《そで》でぬぐうが、まだまだ汗はひきそうにない。ワイシャツも、汗で背中にぺったりとくっついている。

「うう、次から次へと……」

肩《かた》に下げていた鞄《かばん》からタオルをとりだしながら、ため息と共に秋晴れの空を見上げた。

「……空、高いなぁ」

夏とは違《ちが》う空気に、吸いこんだ肺がちりちりと痛む。

次第《しだい》に鼻の奥もつんとしてきて、慌《あわ》てて両手で頬《ほお》を叩《たた》いた。

(泣くほど悔《くや》しいなら、もっとがんばればよかったんだ……)

ぐっと唇《くちびる》を噛《か》みしめて、自分を叱《しか》りつける。

後悔《こうかい》は先に立たずという格言が、今日ほど身に染《し》みた日はなかった。

思いだすのは、さきほどまでいた部室でのやりとりだ。


美術室に入ってきた瞬間《しゅんかん》から、顧問《こもん》の松川先生は満面の笑《え》みを浮かべていた。

これはと思った矢先、先生のうれしそうな声が部屋中に響《ひび》いた。


『早坂さん、合田さん、おめでとう!』


続きは聞くまでもなく、二人がコンクールで賞を獲《と》ったという報告だった。最優秀賞《さいゆうしゅう》にあかり、佳作《かさく》に美桜の作品が選ばれたのだという。

結果が記された通知書が掲《かか》げられ、夏樹は半ば無意識に自分の名前を探していた。

もう一往復しようとしたところで、往生際《おうじょうぎわ》の悪さに気がついて苦笑《くしょう》がこぼれた。

(何度見たって、私の名前はそこにはないのに……)

ちりっと、唇に痛みが走る。

気づかないうちに嚙んでいたらしく、鉄の錆《さ》びた味が口の中に広がっていく。

（え、何、どうしたの？　こんなの慣れっこじゃん）

自分で自分の反応に驚《おどろ》き、夏樹はとっさに通知書を囲む輪からあとずさった。

まさか、ここまで落胆《らくたん》するとは。落選したのは今回がはじめてではなかったし、そもそも受賞したことがないのに。

『先輩《せんぱい》、おめでとうございます。私、絶対選ばれると思ってました！』

『これでまた連勝記録のびましたね～』

『そういえば、部長と副部長で1《ワン》、2《ツー》フィニッシュした賞もありましたよね？』

後輩《こうはい》たちがあかりと美桜を祝福する声が、なんだか遠くから聞こえてくる。

夏樹もその輪に加わろうとして、凍《こお》ったように顔の表情が動かないことに気がついた。

表情が剝《は》がれ落ち、口角があがらない。このままではおめでとうを言うどころか、逆に二人に気を遣《つか》わせてしまうだけだ。

（ここから離《はな》れなきゃ……。今日はもう帰ろう）

とっさにそう判断した夏樹は、鞄をつかんで一目散にドアを目指した。

けれど足音に気づいたのか、背中にあかりと美桜の声が投げかけられる。


『なっちゃん？　どこ行くの？』

きょとんとした声のあかりに、夏樹はできるだけ慌てて聞こえるように意識しながら言う。

『歯医者の予約！　日を変えてもらってたの、忘れてたんだ』

あかりと美桜がまだ何か言っていたけれど、聞こえないふりをして叫《さけ》ぶ。

『ごめん、もう行くねっ』


とにかくその場を離れたい一心で、夏樹は無我夢中で走った。

誰も追ってきていないとわかっているのに、怖《こわ》くて下しか向けなかった。

（……私、何がしたかったんだろう）


コンクールに入賞したら、優に告白する。

春輝の前でそう宣言したけれど、あれは別に願掛《がんか》けでもなんでもなかった。

もっと単純に、告白する勇気がほしかっただけだ。少しでも自信がつけば、卑屈《ひくつ》になることなく、胸をはって伝えられるだろうと、そう思っていた。

(でも、もうそれも叶《かな》わない……)


「なっちゃん!」


目頭《めがしら》が熱くなった瞬間を狙《ねら》ったかのように、背後から名前を呼ばれた。

聞こえなかったふりして、逃《に》げてしまおう。そう思うのに、まるで地面に足が縫《ぬ》いつけられたように動かない。


「よかった、追いついた……。やっぱり私も一緒《いっしょ》に帰ろうと思って」

苦しそうに息を整えながらも、あかりの声は明るかった。

(なんで……?　なんで一人にしてくれないの?)

叫びそうになるのを必死でこらえ、夏樹もいつもの調子で答える。

「……あかりだけ？　美桜は？」

「芹沢君が呼びに来て、映画研究部のお手伝いに行ったよ」

「そうなんだ……」

「うん」


たった一言ではあったけれど、急にあかりの声が沈《しず》んだ気がした。

不思議に思った矢先、艶《つや》やかな黒髪《くろかみ》が視界の端《はし》に映りこむ。あかりが長い髪《かみ》をなびかせ、夏樹の前に回りこんできた。

絵になるなとぼんやり眺《なが》めていると、黒目がちな瞳《ひとみ》がこちらをふりかえる。

「なっちゃんは、いつ瀬戸口君に告白するの？」


何を言われたのか、とっさにはわからなかった。

ぽかんと口を開けた夏樹を見て、あかりは小首を傾《かし》げる。

「あれ？　綾瀬君とつきあうことにしたの？」

さらに予想外の質問をぶつけられ、今度こそ開いた口がふさがらない。

次第に怒《いか》りがこみあげてきて、感情のまま爆発《ばくはつ》しそうになる。

「……なんであかりが、そんなこと聞くの？　関係ないよね？」

叫びだしたいのをこらえ、夏樹はできるだけ落ちついた調子で問いかけた。

これまで散々相談に乗ってもらっておきながら、最低な言い草だとは思っていた。だがそれでも、ふれてほしくない部分だった。


あかりは悲しそうに目を伏《ふ》せ、いつになく萎《しお》れた様子で言う。

「私ね、なっちゃんのこと、よくわからなくなっちゃって……。瀬戸口君のことが好きで、予行練習じゃなくて本当に告白するとも言ってたのに、綾瀬君とデートしたでしょ？」

リミッターはあっけなく吹《ふ》き飛び、夏樹は反射的に叫んでいた。

「だからあれは、デートじゃないんだってば！」

「綾瀬君のほうはそのつもりだったんじゃないかって、美桜ちゃん言ってたよ」

「なっ……!?」

目をそむけてきた事実をつきつけられ、カッと視界が赤く染まった。

おまけに美桜の名前まで持ちだされたことで、渇《かわ》きかけた目尻《めじり》がじわりと滲《にじ》んでくる。

（こらえろ、私！　図星だったから泣いたんだって思われる）

意識すればするほど涙腺《るいせん》は締《し》まらず、せめてもの策であかりから顔をそむけた。

「……そんなの知らないよ。こゆき君からは、本当に何も……」

「なっちゃんは、ズルイ！　そうやって、芹沢君のことも知らないふりするの？」

言い訳めいた夏樹の言葉は、あかりの震《ふる》える声にさえぎられた。

（うそ、あかりが……泣いてる……？）


戸惑《とまど》いながら視線を向けると、そこには見たことのない親友の姿があった。

あかりはいつも笑っていて、怒《おこ》った顔も、泣いた顔も記憶《きおく》にない。

能天気などと揶揄《やゆ》する女子もいたけれど、夏樹と美桜は知っている。あかりはやさしすぎるから、誰《だれ》かを困らせたり悲しませたくなくて笑っているのだ。

（そうだ、あかりはそういう子だった……）

夏樹も、ほかの女子たちと同じように思っていたときもある。いつもにこにこして、点数稼《かせ》ぎしているのかとさえ疑った時期もあったくらいだ。

だがつきあっていくうちに、ただただやさしいだけなのだと気づかされた。

(天然すぎるところもあるけど、それだけ素直なんだよね)

いまだって、あかりは「正論」しか言っていない。

不思議に思ったから、理解したいと思っているから、こうして質問をぶつけてくるのだ。

(……ちゃんと、向きあわなくちゃ)

夏樹はぐっと拳《こぶし》をにぎり、目を真っ赤にしたあかりに語りかける。

「たしかに私、ズルイところもあったと思う。でも、春輝のことって……?」

鼻をこすりながら、あかりがつぶやく。

「なつきちゃんだけなんだよ、芹沢君に『好き』だって言われたの」

「……え?」

好きという単語に、頭を殴《なぐ》られたような衝撃《しょうげき》が走った。

(もしかしてあかり、春輝の告白予行練習を聞いてた……?)

とっさに誤解だと言いかけ、すんでのところで思いとどまる。

どうやってあれが予行練習だと証明すればいいのか、その手立てがまるでわからない。春輝本人から言われた夏樹はともかく、第三者を説得するだけの材料がないからだ。

(正直に言えば、信じてくれるかな)

「あのね、あかり……」

夏樹が言い訳をしようとしていると思ったのか、あかりは聞きたくないと首を横にふる。

「なっちゃん、誤魔化《ごまか》さずに本当のことを言って？　美桜ちゃんの絵も、私の絵も、結局好きだって言ってもらえなかったんだよ？」

「………へっ？」

間抜《まぬ》けな声が出てしまい、夏樹は慌《あわ》てて口をふさぐ。

あかりはムッとしたように眉《まゆ》を寄せ、自分の思いを熱弁する。

「映画で使う絵を描《か》きながら、私もいろいろ考えたの。恋《こい》ってなんだろう、どんな気持ちのことを言うんだろうって。私にとってそれは、絵を描いてるときや、好きな絵を前にしたときの気持ちと同じなんじゃないかって気づいたんだ」

（ということは、つまり……）

混乱する頭で必死に考え、夏樹はとある仮説を導きだした。

「あかり的には、春輝が私の『絵』を好きだって言ったから……」

「なっちゃんのことが好きなんでしょ？」

「そ、そっちかぁ～……」

一気に脱力《だつりょく》して、夏樹はへなへなとその場にしゃがみこむ。


「うん？　ほかに何かあるの？」

腰《こし》を屈《かが》めて夏樹の顔をのぞきこむあかりの瞳《ひとみ》は、悪戯《いたずら》っぽく光っている。

（……やっぱりあかり、聞いてたのかな）

たしかめてみようかと口を開いたが、実際はまったく違《ちが》う言葉がこぼれた。


「……あかりはさ、私の絵ってどう思う？」

「好きだよ。大好き」

答えてから、あかりは「あれ!?」と目をまたたく。

即答《そくとう》してくれたことにくすぐったさを覚えながら、夏樹はにっこりと笑いかける。

「……私もね、あかりの絵が好きだよ。ほかの人にはない世界観にあこがれてる。美桜の緻密《ちみつ》で繊細《せんさい》な絵も、好き。ずっと見てたいなって思う」

だんだんと気恥《きは》ずかしくなり、後半は早口になっていた。

しかし相手にはちゃんと届いたらしく、あかりは表情を輝《かがや》かせる。

「なっちゃん！　なっちゃーん！」

「わあ!?　ちょ、あかり、苦し……っ」

しゃがんだままの夏樹の首に、あかりの華奢《きゃしゃ》な腕《うで》がのびてきた。

(甘い、桃《もも》の香《かお》りだ……)

ふっと意識がそれた瞬間《しゅんかん》、腕のしめつけが強まった。

細く見えても、キャンバスや画材のまとめ買いで鍛《きた》えられた腕だ。遠慮《えんりょ》なく抱《だ》きしめられると、別の意味で涙目《なみだ》になる。

「……意地悪な言い方して、ごめんね」

耳元で、震《ふる》えた声のあかりがささやく。

肩《かた》がぬれるのを感じながら、夏樹は黙《だま》って首を横にふる。

「私のほうこそ、ごめんね」

桃の香りに包まれながら、夏樹はそっと目を閉じた。

(あとで、どこのシャンプー使ってるのか聞いてみようかな……)

メーカーを聞いて、今度一緒《いっしょ》に買いに行くのもいいかもしれない。

もちろんそのときは、美桜も誘《さそ》って三人で。

❤ ❤ ❤ ❤ ❤

プールで泳いだあとのような疲労感《ひろうかん》に包まれ、夏樹は電車の窓に頭をもたせかける。

(あかり、ちゃんと間にあったかな……)

電車組の夏樹を見送ってからバス停に向かった親友の姿を捜《さが》し、駅前のバスターミナルを眺《なが》める。すでに発車したあとなのか、バスも、あかりの姿も見当たらなかった。

(一応、メールしておこうかな)

カーディガンのポケットに手をつっこみ、ケータイをとりだす。

開こうとした瞬間、新着メールを報《しら》せるライトが光っているのに気がついた。

「やば、気づかなかった……」

急ぎの用事ではないことを祈《いの》りながら、慌てて受信箱を開く。

メルマガにまじり、美桜からメールが届いていた。


『あかりちゃんが追いかけていったんだけど、無事に会えたかな？

明日《あした》はまた三人で一緒に帰ろうね。

歯医者、ファイトー！』


美桜のやさしい声で再生され、ゆるみきった涙腺《るいせん》がこらえきれずに視界がにじむ。

夏樹はカーディガンの袖《そで》で目元を乱暴にぬぐい、返事を打とうとボタンに手をかける。

だが、いつまでたっても新規メール作成の画面には移れなかった。


（明日はまた三人で、って……。美桜はもう、春輝とは帰らないつもりなのかな？）

夏樹が聞いた限りでは、コンクールが終わると、今度は春輝のほうから一緒には帰れないと言われたらしい。映画づくりの追い込み中だからというのが理由らしいが、なんとなくそれだけではないような気がして胸がざわついたのを覚えている。

(ただのカンって言えば、それまでなんだけど……)


そわそわと落ちつかないのは、春輝が誰《だれ》かに告白をするつもりだと知ったからだ。

(相手は誰なんだろう……? って、たとえ誰でも応援《おうえん》するって決めたじゃん!)

ゴンッと窓ガラスに頭をぶつけ、余計なことを考えないようにする。

口を挟《はさ》まない、見守ると決めたのは自分だ。


ふいに、手の中でケータイが揺《ゆ》れた。

びくりと肩を揺らし、夏樹は恐《おそ》る恐る相手を確認《かくにん》する。

「えっ、こゆき君?」


意外な相手からのメールに、とっさに声がもれた。

帰宅ラッシュ前の車両は乗客がまばらで思った以上に響《ひび》いてしまったが、こちらに視線を向けてくる人はほとんどいない。

ほっと胸をなでおろし、夏樹は改めてメールを開封《かいふう》する。

『あの公園で待ってます』

無題で本文もたった一行、時間の指定もなかった。几帳面《きちようめん》で丁寧《ていねい》なメールを書く恋雪とは思えない内容に、思わず差出人を二度見する。

だがやはりメールは恋雪からのもので、夏樹は途方《とほう》に暮れてしまう。

（どうしよう、行ったほうがいいんだよね……？）

電池切れで気がつかなかったとか、寝《ね》ていたと言えば済むのかもしれない。

それよりは返信して、どういうことかを問い合わせたほうがいいだろう。

しかし、どちらの方法をとることも気が進まなかった。

（メールで質問したら、こゆき君は上手に本音を誤魔化《ごまか》しちゃうんじゃないかな）

やはりこれも根拠《こんきよ》のないカンだったが、なんとなくそれが正しいような気がしていた。

最寄《もよ》り駅まで、残り二分もない。駅から公園までは十分ほどだ。

十五分ほどで到着《とうちやく》するとだけ打ちこみ、ぎゅっと目をつぶって送信ボタンを押した。

すぐに恋雪から『ありがとうございます』と返信が届き、いまさら心臓が騒《さわ》ぎだした。

（こゆき君の話って、なんだろう？　もしも、もしも告白だったなら……私は……）

♥　♥　♥　♥　♥

恋雪は公園のベンチに座り、野良猫《のらねこ》がじゃれあっているのを眺めていた。

そのおだやかな横顔に少しだけ緊張《きんちょう》がほどけたのか、自然と明るい声が出た。

「こゆき君、お待たせ」

「いえ、そんな！　僕のほうこそ、急にすみません」

慌《あわ》ててベンチから立ちあがった恋雪は、夏樹に向かって綺麗《きれい》にお辞儀《じぎ》した。

こんなときも礼儀《れいぎ》正しいんだなと、妙《みょう》に感心してしまう。

「……こうして二人っきりで話すのは、あの日以来ですね」

（いきなり来た！）

ドクンと心臓が跳《は》ねるのを感じながら、夏樹はぎこちなくうなずく。

「学校だと、瀬戸口君の目が気になってしまって……。なんて、自業自得《じごうじとく》なんですけど」

なんと答えていいかわからず、やはり黙って首を動かすしかない。

優と恋雪が、お互《たが》いに距離《きょり》をとっているのはあきらかだった。

以前からとくに親しかったわけではないけれど、夏樹をまじえてマンガについて語りあうときは、普通《ふつう》に冗談《じょうだん》も飛びかっていた。それがあの夏の日を境に一変し、いまではクラスメイトとしての会話をしているのかも怪《あや》しいくらいだ。

「この間は、優がゴメンね。もう誤解はとけたから、あとは何かきっかけが……」

きっかけがあれば元通りになれると続けようとして、思わず口をつぐむ。

こちらを見つめる恋雪の瞳《ひとみ》が、悲しげに揺れていたからだ。

傷つけるようなことを言ってしまっただろうかと考えるが、一向に思い当たらない。

戸惑《とまど》う視線を投げかけると、恋雪は何かつぶやいた。

「……じゃ、ないんです」

「え？　ごめん、よく聞こえなくて……」

「瀬戸口君の誤解じゃないんですって言ったら、榎本さんはどうしますか？」


恋雪の瞳から悲しげな色は消え、いまは真剣《しんけん》な光が宿っていた。

夏樹の心の中を探《さぐ》るようにじっと見つめられ、居心地《いごこち》が悪くなる。


けれど、それだけだった。

深呼吸すれば、頭の中が整理されていく。

（こゆき君は、いつも本音を隠《かく》してる気がする……）

脳裏《のうり》に、真っ正面からぶつかってきてくれたあかりのことが浮《う》かんでくる。彼女と比べると、肩透《かたす》かしをくったような気分にさえなる。


「こゆき君が言いたかったことって、それ？」

「えっと、その、いまのは仮定の話ですけど……」

言葉が続かなくなり、恋雪はついにうなだれてしまう。

しょんぼりと肩《かた》を落とした姿を眺《なが》めるうち、夏樹の口から思いがけない言葉がこぼれた。

「こゆき君は、私と似てるね」

自分の口から出たにもかかわらず、夏樹は「えっ」と目をみはった。

言われた恋雪も顔をあげ、不思議そうにこちらを見ている。

(どうして似てると思ったんだろう？　こゆき君は本音を隠して、もしもの話をしてて……)

頭の中でぐるぐると考えていると、ふいに答えにいきついた。


告白ではなくて、予行練習をした夏樹。

本音を隠し、仮定の話で相手の気持ちを聞きだそうとする恋雪。

二人に共通するのは、相手に正面からぶつかる勇気が足りなかったこと。

そして、それを誤魔化そうとしていることだ。


「……これは、私の話なんだけど」

そう前置きして、夏樹は見つけたばかりの答えを口にする。

「ずっと自分に自信がなくて、なんでもいいから『これが私です！』って言えるものがほしかったの。だからコンクールに絵をだしたけど、そこでも保険をかけちゃってたんだよね」

恋雪はまばたきも忘れ、じっとこちらの話に耳を傾《かたむ》けてくれている。

その様子に励《はげ》まされるようにして、夏樹は自分の胸の内をさらけだす。

「今回こそ入賞したいなって思いながら、実際はちっとも筆が進まなかった。たぶん頭のどこかで計算して、『賞がとれなかったのは全力をださなかったからだ』って言い訳を用意してたんだと思う。あかりや美桜は、あんなにがんばってたのに……」

こうやって言葉にすることで、しまいこんでいた本音が姿を現していく。

鍵《かぎ》をかけていた箱の底に残っていたのは、意外なことに一筋の光だった。

「なんでもいいから自信をつけたいって思ってたけど、『なんでもいい』わけじゃなかったんだって気づいたんだ。本当にやりたいことを、納得《なっとく》いくまでやらなきゃ意味がないって」

(そっか、私はこんな風に思ってたんだ)

入賞できなかったと聞いたとき、作品が評価されなくて悲しいとは思わなかった。

やっぱり自分はダメなのかと落胆《らくたん》しただけだ。

コンクールに挑戦《ちょうせん》したのも、結局は誰《だれ》からも凄《すご》いと言われる、絶対的なものがほしかっただけなのだろう。

「榎本さんが本当にやりたいことって、なんですか？」

凪《な》いだ海のように、ひどく静かな声だった。

いままでの恋雪のように、一方的に夏樹のことを探ろうとする雰囲気《ふんいき》は感じられない。純粋《じゅんすい》に知りたいと、そう思ってくれているのが伝わってきた。

ひとさし指を唇《くちびる》にあて、夏樹はにっこりと笑いかける。

「まだ誰にも言ったことがないんだ。形になるまで、内緒《ないしょ》にしててくれる？」

「もちろんです。僕は榎本さんのことが……榎本さんのことを、応援《おうえん》してるので」

恋雪は言葉を選びながら、最後には笑ってみせてくれた。

夏樹もうなずき返し、生まれたばかりの夢を口にする。

「私が、本当にやりたいことはね――」

Haruki Serizawa

芹《せり》沢《ざわ》春《はる》輝《き》

誕生日／4月5日
おひつじ座
血液型／A型

夏樹の幼なじみ。
映画研究部所属。
やんちゃな兄貴タイプ。
抜群のセンスで
映画をつくる。

practice
〜練習8〜
8

practice 8 ～練習8～

急がず、丁寧《ていねい》に。

呪文《じゅもん》のように口の中で唱えながら、夏樹は一心不乱に手を動かし続ける。

やがて短針と長針が重なる音と同時に、手にしていたトーンカッターを手放した。

「で、できたぁ～！」

ようやくすべての作業を終え、ベッドに倒《たお》れこむ。

肩《かた》も腕《うで》も連日の酷使《こくし》に悲鳴をあげているが、開放感を前にしては痛みもかすむらしい。疲労《ひろう》感《かん》さえ、不思議と心地《ここち》よく感じるほどだった。


首だけ動かし、机の上の置き時計を見やる。

感覚では十二時くらいかと思っていたけれど、予想よりもさらに二時間回っていた。

(わっ、いつのまにか日付変わってたんだ……)

時間の速さに驚《おどろ》きつつ、自分の集中力に感動する。

本当にやりたいことをやって、自分に自信をつける。

そう心に誓《ちか》ったものの、実行に移すのは思っていた以上に大変だった。

こうして完走することができたのは、美桜やあかり、そして恋雪の応援《おうえん》があったからだ。

とくに恋雪には、実際に原稿《げんこう》を読んでもらっていた。普段《ふだん》からマンガを読みこんでいるだけあって、アドバイスはどれも的確だった。何より、まるで自分のことのように親身になって励《はげ》まし続けてくれたことで、へこたれずに描《か》き抜《ぬ》くことができたのだと思っている。


(朝になったら、三人にはまずはメールして……)

どうやって報告しようか考えながら、脳裏《のうり》にもう一人の顔が浮《う》かぶ。

(告白練習仲間としては、やっぱり春輝にも言っておこうかな)

放課後の教室で、夏樹が予行練習につきあったのはコンクールの結果発表前日だったから、すでに二週間が経過している。

十月も残り数日となったいまでも、春輝が誰《だれ》かに告白をした様子はなかった。

(春輝のことだから、何か理由があってしてないんだろうけど……)

練習とはいえ、こんなに勇気が必要だったのかと驚いていた幼なじみの顔を思いだすと、もしかしたら最後の一歩が踏《ふ》みだせずにいる可能性も捨てがたかった。

(ここで私が先陣《せんじん》を切れば、春輝の背中を押せるかな?)

そうなれば感謝されて、少しは扱《あつか》いもよくなるだろうか。

いや、余計なお世話だと鼻で笑われるのがオチだ。


一向にクールダウンしない頭には、とりとめのないことばかり思い浮かんでくるらしい。

夏樹はシーツの上を転がり、うつぶせから仰向《あおむ》けの体勢になる。

「……優はもう寝《ね》たかな?」

なんだかむしょうに気になって、そっと窓際《まどぎわ》に駆《か》け寄った。


物音に注意しながらカーテンを開け、向かいの家の様子をうかがう。

優はまだ勉強しているらしく、二階の角部屋からは、ほのかに灯《あか》りがもれていた。

「うわー、今夜もがんばってるねぇ」

以前ならメールでそう伝えたところだが、いまは一人でつぶやくだけだ。夏の一件で生まれた見えない壁《かべ》は、いまだに二人の間にそびえ立っていた。

（でも、明日《あした》になれば……）

見えない壁を蹴《け》り倒し、優の顔を見に行くと決めていた。

そして予行練習ではなく、今度こそ告白するのだ。


「首洗って待ってなさい、優！」

♥ ♥ ♥ ♥ ♥

「なっちゃんのお弁当、ウサギが入ってる！」

美術準備室の長机に広げたお弁当箱の中のりんごを見て、あかりが目を輝《かがや》かせる。

「今日は決戦だから、お母さんにどうしてもってお願いしたんだ」

夏樹はぐっと握《にぎ》り拳《こぶし》をつくってみせ、少し自慢《じまん》げにうなずく。

決戦という言葉に、サンドイッチを食べていた美桜の手が止まる。

「そ、そういえば、テスト前とかも入ってる、よね……」

「あはは！　なんで美桜のほうが緊張《きんちょう》してるの？」

思わず夏樹がふきだし、つられてあかりと美桜も笑いだした。

昼休み、夏樹は顧問《こもん》の松川先生に頼《たの》みこみ、準備室を借り切っていた。
五、六限目が選択《せんたく》美術ということもあり、先生はあっさりと鍵《かぎ》を開けてくれたのだった。
（ごめんなさい、えりちゃん先生！　本当は心の準備がしたかったんですっ）

金曜の午後は自由選択になっており、夏樹たちは当然のように美術を選択している。

優は帰宅コースだったが、最近は映画の追いこみで最終下校時刻まで残っていることが多かった。それでも行き違《ちが》いにならないようにと、今朝、待ち合わせのメールを送ったところだ。

「それにしても、メールを見たときはビックリしたなぁ」

「マンガが完成したから今日告白します、だもんね」

あかりと美桜がうなずきあうのを見て、夏樹は首を傾《かし》げる。

「え、なんで？　完成したら本番いってくるって、前から言ってたよね？」

「もー、なっちゃん！」

「は、はい」

険しい顔でいきなり名前を呼んだかと思ったら、正面に座るあかりが身を乗りだした。

そして自分の目の下を、勢いよく指さした。

「ずっと寝不足《ねぶそく》だったでしょ？　日を改めなくていいのかなって」

「私もあかりちゃんも、応援するしかできないから……心配してたんだよ？」

気がつくと、隣《となり》に座る美桜も真面目《まじめ》な顔で夏樹を見つめていた。

二人のやさしさに、じわりと視界がにじんでくる。


「……あかり、美桜、本当にありがとう。私、がんばる」

「なっちゃん、応援してるからね！」

あかりはガシッと手をつかみ、念を送るように「むむむ……」とうなりだす。

その光景に、美桜も手をのばし、いつになくキリッとした表情で言う。

「私も緊張を和《やわ》らげる方法とか調べてきたから、気になったら言って？」

「さすが美桜ちゃん！　緊張しすぎて告白する相手を間違《まち》えちゃったら、一大事だもんね」

「……それは緊張が原因じゃなくて、ただのうっかりじゃないかな」

あかりの天然っぷりに、美桜が真面目な顔でツッコミを入れる。

なんていうことのないやりとりだったが、夏樹は肩《かた》の力が抜けていくのを感じた。

(いつも通りでいいんだよって、そう言われてるみたい)

今日こそ本番をと意気込んだはいいけれど、一方でガチガチに固まっていたらしい。

言葉だけで終わらない友情に感謝しながら、夏樹はひとさし指を立てる。

「大丈夫《だいじょうぶ》！　だって今日の星占《ほしうらな》い、一位はカニ座だったから」

今日しかないと思ったのだと満面の笑《え》みで告げるが、なぜか二人は無反応だった。

しばらく沈黙《ちんもく》が続いてから、あかりと美桜は恐《おそ》る恐るといった様子で聞いてくる。

「まさかとは思うけど、今日告白することにしたのって……」

「占いで一位だったから、とか？」

「うん、そうだよ！」

運勢
NO.1
かに座

『おはニュー』の占いは、とにかく当たる。夏樹にとって、この上ない味方だ。

（あれ？　二人とも、まだ固まってる……？）

占いというだけでは、やはり心許《こころもと》ないと思ったのだろうか。それならばと、夏樹は鞄《かばん》の中からパンパンに膨《ふく》らんだポーチをとりだしてみせる。

「もちろん、睡眠《すいみん》不足対策もちゃんと考えてきたよ。じゃじゃーん！」

ファスナーを開けると、中からマスカラやグロスが飛びだしてきた。手持ちのものだけでは足りないだろうからと、こっそり母親から拝借してきたものも入っている。

「クマも隠《かく》せるし、まつ毛もぐるんぐるんにすればバッチリ！」


善は急げとマスカラの蓋《ふた》を開けると、金縛《かなしば》りが解けたように二人が叫《さけ》んだ。

「待って！　まずは洗顔からだよ？」

「ファンデの前に下地も！　っていうか、パウダーで充分《じゅうぶん》だからあああ！」

美桜とあかりの絶叫《ぜっきょう》が響《ひび》き渡《わた》る中、無慈悲《むじひ》にも昼休み終了《しゅうりょう》のチャイムが鳴る。

刻一刻と迫《せま》る約束の時間に、夏樹の鼓動《こどう》は高鳴るばかりだった。

♥ ♥ ♥ ♥ ♥

しんと静まり返った部室で、優は一人、書類と格闘《かくとう》していた。

立冬を間近に控《ひか》えているのが嘘《うそ》のように、窓越《ご》しの陽射《ひざ》しが背中を温めてくれている。

（うちの部室の数少ない利点は、日当たりが良好ってとこだよなぁ）

設立されてから三年と経《た》っていない映画研究部は、桜丘高校で一番新しい部だ。

唯一《ゆいいつ》残っていた空き教室は、もっともアクセスの悪い最上階のつきあたり。しかも、物置代わりだったというおまけ付きだ。

夏樹にも手伝ってもらい、なんとかそれらしく整えたのがいまの部室だった。

（……なつき、今日も爆睡《ばくすい》してたな）

連日、寝不足が続いているらしく、目の下にクマをつくっていることも少なくない。

推薦《すいせん》入試対策に没頭《ぼっとう》しているのだろうと思っていたが、あとは合格発表を待つばかりとなってからも一向にクマが消える気配がなかった。

(本人に聞けば、一発だけど……)

蒼太から、春輝が夏樹に告白していたと聞いて以来、優はできるだけ二人と距離《きょり》をとるようにしていた。嫉妬《しっと》がどうの、八つ当たりがどうのという話ではなく、自分に自信をつけるまではと決めたからだ。

(春輝の告白がどうなったか、気にならないわけじゃないんだけどな)

好きな相手に恋人《こいびと》ができたのかどうか、気にならない人間はいないだろう。

だがそれよりも、二人が告白の前後で態度が変わらないことがひっかかっていた。たしかに以前よりは距離が縮まったようにも見えるが、あくまで幼なじみの範囲《はんい》だ。

(……おまけに、なつきは妙《みょう》なメールを送ってくるし……)

長机に放置していたスマホをたぐり寄せ、優は夏樹からのメールを開く。

タイトルもなく本文も短かった。

『私のわがままを明日《あした》だけ聞いてくれる？
放課後、十八時二十五分に教室で待ってて』

指定された時間は、最終下校時間の五分前だった。

その時間、その場所で、何をするつもりなのか、まるで見当もつかない。

(もしかして、本番前の最後の告白予行練習とか……?)

雰囲気《ふんいき》をだすために、わざわざセッティングしたということなのだろうか。


「……約束まで時間あるし、少しでも片づけよ」

あれこれ考えていても、答えがでるわけでもない。

自宅でつくってきた工程表とにらみあうのを再開し、一分と経たずに目頭《めがしら》をつまんだ。

卒業記念ともいうべき新作映画の話を聞きつけた生徒会から、式の前日に上映会を行いたいとの申し出があったのは一週間前のことだった。

(春輝があっさりOKしたのは意外だったな……)

当初、優たち映画研究部は反対の立場だった。

個人的に観たいと思ってくれた人たちが集まるならまだしも、生徒会主動の上、特別な意味を持ちかねない日程だったからだ。

話を聞き終えた春輝は、開口一番、遠慮会釈《えんりょえしゃく》なく切りこんだ。

『わざわざ式の前日に上映することになれば、何かしらの先入観を持たれる可能性は高いですよね？　俺たちとしては、まっさらな状態で見てほしいんで困ります』

しかし生徒会長も負けてはおらず、身を乗りだして訴《うった》えた。

『僕は映画研究部のファンなんです！』

『えっ、そうなの？　マジかー、うれしいよ』

最初に攻略《こうりゃく》されたのは蒼太だった。

三人の中でも一番素直《すなお》だということもあり、にこにこと生徒会長に笑いかける。

『ったく、もちたは簡単に落とされすぎなんだよ』

口ではそう言いながら、春輝の心がぐらついているのは明白だった。

優は立場を保つ意味で黙《だま》って聞き役に徹《てっ》していたが、見事なツンデレっぷりに思わずふきだしてしまったくらいだ。

相手も思わぬ好感触《こうかんしょく》に励《はげ》まされたのか、さらに熱をこめて言う。

『僕らはただ、尊敬する人たちが作った映画を大勢の人に観てもらいたい一心なんです！』

結局その言葉が決め手となり、卒業記念作品は全校上映されることになったのだった。

（ありがたいといえば、ありがたいんだけど……スケジュールが、やばい……！）

ただでさえ押していたところに、生徒会主催《しゅさい》行事だからと、事前に職員会議にかけられるため、その時間も確保しなくてはならなくなってしまった。

卒業式に間にあわなくても、最悪の場合、春休み中に完成すればいい。

そんな風にどこかのんびり構えていた優たちは、おしりに火が付いた状態だ。


「もちたはともかく、肝心《かんじん》の監督《かんとく》が一向に現れないけどな」

ははは、と乾《かわ》いた笑いがこぼれる。

すると次の瞬間《しゅんかん》、タイミングを見計らったようにドアが揺《ゆ》れた。

最近ますます調子が悪いドアは重低音を響かせて開き、肩《かた》で息をする春輝が顔をだす。


「よ、よお……。待たせたな」

「ゴホン！　お、お疲《つか》れ」

来たら一言かましてやろうと思っていたが、さすがにいまはそんな場合じゃないとわかる。

優は咳払《せきばら》いでもって、のどの奥までせり上がっていた言葉を砕《くだ》いた。

「遅《おそ》かったな。今日はどこまで寄り道してたんだ?」

「あー、うん……。それより、もちたは?」

めずらしく歯切れが悪い春輝が気になりつつも、優は話題転換《てんかん》に乗ることにする。

「合格者対象の説明会だってさ」

宣言通り指定校推薦の枠《わく》を勝ちとった蒼太は、本番でも実力を発揮し、三人の中でいち早く合格をもぎとっていた。

「……優は、一般《いっぱん》入試組だったよな」

いまさらな質問に、今度こそ理由を聞くべきだろうかと迷う。

だが、蒼太に聞いた話が口を重くしていた。

『春輝、アメリカの大学に進むかもって』

優も蒼太も、今日まで本人から、それらしい話を聞いたことがなかった。

春輝はここぞというときに、自らの野望を語ってみせる。それは周囲の人間を鼓舞《こぶ》する力になるのだが、あくまで協力が必要なケースにだけ発揮されるものだった。

個人プレイが通用するなら、結果が出るまで隠《かく》し通すだけの強固な意志も持っている。

(俺らに言わないってことは、そういうことなんだよな)


無理やり自分を納得《なっとく》させ、優は葛藤《かっとう》などなかったように笑ってみせた。

「来月になったら、ダメもとで推薦も出願してみるけどな」

「……そっか」

「おお」

そこで会話は途切《とぎ》れ、春輝がイスをひく音がいやに響《ひび》いた。


(き、気まずい……。まさか春輝相手に、会話のネタを探すことになるとは……)

夏樹の名前はもちろん、なんとなく美桜のことも口にするのはためらわれた。

かといって二人は、幼なじみとその親友だ。

全然関係のない話題を選んだつもりで、ひょんなことから二人の話につながってしまうこともある。実際に昨日も、小テストの話題から、うっかり夏樹の名前が飛びだしそうになって焦《あせ》ったばかりだった。

しばらく無言で悶々《もんもん》としていると、ふいに春輝が口を開いた。

「去年俺が撮《と》ったやつ、覚えてるか？」

「え？　ああ、野球部を追いかけたドキュメンタリー調のやつだろ」

二年生の冬に見せてもらった短編映画は、春輝の完全自主制作だった。

台詞《せりふ》を極限まで削《けず》り、音楽と絵で見せる美しいフィルムだったのを覚えている。

「そういや、なんかの賞にだすとか言ってたよな？　もう結果は……」

でているから、急に話題にしたのだ。

質問はあっという間に確信へと変わり、続く言葉を奪《うば》っていった。

(これまで春輝に感じてた違和感《いわかん》の理由って、まさか……)

春輝は「ん」とかすかにうなずき、優から言葉を引き継《つ》ぐ。

「最優秀賞《さいゆうしゅう》、もらった」

「……おめでとう、でいいんだよな？」

震《ふる》える声で問いかけると、春輝は肩をすくめて苦笑いを浮《う》かべた。

「ん、ありがとな。受賞自体は、俺もよろこんでる」

「じゃあ、何が問題なんだ？　副賞か何かがついてくるってことか？」

半分以上予想はついていたが、たしかめずにはいられない。

たまらず席を立ち、春輝へと詰《つ》め寄った。

動揺《どうよう》も露《あら》わな優とは対照的に、当の本人は笑い声まじりに言う。

「さすが優、話が早いな。特典として、向こうの大学に招待してくれるんだとさ」

「……それ……ほかの奴《やつ》には、もう言ったのか？」

「いや、おまえが最初。もちたには、明日《あした》にでも言うよ」

心臓が嫌《いや》な音を立てるのを聞きながら、優はかすれた声でたずねる。

「なつきには……？」

「んー、そこは迷うラインなんだよな。きっと困らせるだろうから」

「困らせるって、どういう……」

告白しておいて無責任なんじゃないのか？

たまらず叫《さけ》びそうになったが、どこかさびしそうな春輝の表情にぐっと息がつまった。

（ああ、まただ……。なんなんだ、この違和感は）

何事にも正面からぶつかっていく春輝が、躊躇《ちゅうちょ》しているように見えたのはなぜか。

それこそ理由は、無責任なことはできないと思ったからではないのか。


（……あっ！　そういうことか）

空から答えが降ってきたかのように、突如《とつじょ》、答えにふれた気がした。


春輝が好きなのは、おそらく美桜で間違《まちが》いない。

だがコンクールにだした以上、無責任に告白できないと思ったのだろう。

（つきあってるのか聞いたとき、春輝は否定も肯定《こうてい》もしなかった……）

いや、できなかったのだ。

まさか優たちが言いふらすとは思わなかっただろうが、なぜ告白しないのかとツッコミをくらう可能性は考えたに違《ちが》いない。もしそうなれば、春輝は口を閉ざすしかなかったはずだ。

『聞いてどうするんだ？　もし俺が、合田とつきあってるなら……いや違うな、なつき以外を好きだって言えば、優は安心するのか？　安心して、それで終わり？』

あれは正真正銘《しょうしんしょうめい》、優をたきつけていたのだ。

自分にはできないけれど、おまえなら……と。

「優はさ、本当になつきのことが好きなんだろ？　なら、自信持っていけよ」

無責任なことを言っている、とは思わなかった。

幼なじみとして、同じ男として、背中を押してくれているだけだ。

だから優も、まっすぐに春輝の目を見て告げた。

「……おまえも、後悔《こうかい》だけはするなよ」

春輝はわずかに目をみはり、やがて小さく笑った。

♥
♥
♥
♥
♥

あかりと美桜に見送られ、夏樹は三年二組の教室へと出発した。
静まり返った階段を一段のぼるたび、鼓動《こどう》が速くなっていく。
ドアの前にたどりついたときには、心臓が飛び出しそうなほど脈打っていた。

（この感覚、あのときと同じだ）
ぎゅっとワイシャツをにぎると、あの夏の日の情景がよみがえってくる。
スカートからのぞくジャージの下で、足もガクガクと震えていた。

（でも、もうあのときとは違う……）
はじめて告白予行練習をしたときから三ヶ月が経《た》ち、冬の足音も聞こえてきた。
そして夏樹たちを取り巻く環境《かんきょう》も、日々変わっていっている。
（私だって、ちゃんと変わったんだ！）

水泳の飛びこみ台に立ったときのように、夏樹はゆっくりと深呼吸する。

頭の中で「位置について、よーい」と掛《か》け声を響《ひび》かせ、次の瞬間《しゅんかん》に勢いよくドアを開く。

「優！　お待たせ」

「なんだよ、えらい気合い入ってるじゃん。果たし合いに来たみたいだ」

ぶはっとふきだし、優が読んでいた本を机の上に置いた。

（果たし合い、か……。たしかにそうかも）

夏樹は妙《みょう》に納得《なっとく》しながら、ずんずんと窓際《まどぎわ》の優の席を目指した。

優も席を立ち、夏樹が来るのを待っていてくれている。こうして一対一で話すのがひさしぶりすぎて、見られていると意識するだけで顔が熱くなっていく。

「……それで、今日はどんなわがままを言いに来たんだって？」

残り三歩分くらいまでになったところで、優がからかうように聞いてきた。

夏樹は立ち止まり、脇《わき》に抱《かか》えていた封筒《ふうとう》をさしだす。

「これ、昨夜完成したんだ」

何が意外だったのか、優は「えっ」と息をのむ。

そのまましばらくリアクションがなく、夏樹は焦《じ》れたように封筒を揺《ゆ》らしてみせた。

「あ、ああ、悪い……」

ようやく封筒を受けとってはもらえたが、やはりいぶかしげな顔をしたままだ。

夏樹は不思議に思いながらも、中身についての説明をはじめる。

「それね、前に言ってた原稿《げんこう》なんだ。優が、最初の読者になってくれる？」

緊張《きんちょう》で声が裏返ったし、うまく笑えなかった気がした。

それでもまずは第一歩だと言い聞かせ、夏樹は優の返事を待つ。


「これも『予行』なら、俺は読めない」


返ってきたのは、予想外の言葉だった。

ぐさりと心臓を一突《つ》きにされた感覚に襲《おそ》われ、思わずあとずさる。

(私がここで傷つくのは、お門違《かどちが》いだ)

ただの自業自得《じごうじとく》の結果であって、優は何も悪くない。

わかっていながら、本心だと信じてもらえなかったことに涙《なみだ》がでそうになる。


「……じゃあ『本番』なら、読んでくれる？」


言った。今度こそ、ちゃんと言えた。

反応が気になり優を見上げると、そこには悲しげな表情が浮《う》かんでいた。

「じゃあ、って……。なつきは、本当にそれでいいのか？」

「本当も何も、そう言ってるじゃん」


(何？　いったい何がそんなに気になってるの？)

困惑《こんわく》しながらも必死に訴《うった》えるけれど、優はますます切なげな顔になる。

「……おまえのこと、よくわかんなくなってきた」

「そ、それはこっちのセリフだよ！　優こそ、何が言いたいの？」

売り言葉に買い言葉で、よく考えもせずに言い返してしまった。

優は途端《とたん》にムッとした顔になり、苛立《いらだ》ちを紛《まぎ》らわすように髪《かみ》をガシガシとかき回している。

（なんでこんな話になっちゃったんだろう……？）

まるで話が嚙《か》みあっていない。

混乱した頭では、とにかくよくわからない事態になっていることしかわからなかった。

いっそ泣きたくなってきて、夏樹はたまらずうつむいた。


「……もうすぐ先生たちが施錠《せじよう》しに来るだろうし、今日は帰ろうぜ」

ため息をひとつこぼし、優は背を向けて歩きだしてしまう。

その手に封筒はなく、通りすがりに夏樹の机の上へと置いていってしまった。


「待って！」

気がつくと、夏樹はとっさに優を追いかけ、手首をつかんでいた。

なんとか足を止めることはできたけれど、ふりかえってはもらえない。それとなくひっぱってはみるものの、夏樹の力ではぴくりとも動かなかった。

（すれ違《ちが》ったままなんて、絶対にイヤだ……っ）

もうこれが最後のチャンスかもしれないと、微動《びどう》だにしない背中に叫《さけ》ぶ。

「予行練習なんて、全部うそ！　優のことが、好きで好きでたまらないの」

優は弾《はじ》かれたようにふりかえり、目を丸くしてこちらを見ている。

反射的に視線から逃《に》げたくなりながらも、夏樹はぐっと唇《くちびる》を噛んで踏《ふ》みとどまった。

「わ、私……女の子らしくないし、ヤキモチだってやくし、デートもいっぱいしてくれないとヤだし、わがままだし、バカなことして暴走するし……」

言いながら、どんどん涙があふれてくる。

悲しいから泣いているのか、それとも感情が昂《たか》ぶって止まらないのか。

はっきりしているのは、優に嫌《きら》われたくないという想《おも》いだけだ。

だから、想いの限りを訴える。

「そんな私だけど、つきあってほしいの」

激しく脈打つ鼓動《こどう》にまじり、自分とは別の、動揺《どうよう》した息継《いきつ》ぎが聞こえてくる。

優は何度か口を開いては閉じを繰《く》り返し、言葉を探しているようだった。

一秒が永遠にも思えて、夏樹は気が遠くなりそうになる。

全身から力が抜《ぬ》け、つかんでいた優の手も離《はな》してしまった。


(やっぱり、ダメなのかな)

人がいい優のことだから、どうやったら傷つけずに断れるか考えているのかもしれない。

いっそのこと、これも予行練習だったのだと嘘《うそ》をついたほうが、優にも負担にならないだろうか。もう一度出直して、また作戦を練ることも視野に入れるべきだ。


(……ううん、それじゃあ何も変わらない)

優のためと言いながら、本当のところは自分が傷つくのを避けたいだけだ。

自分の弱いところ、ズルイところを、夏樹は嫌《いや》というほど思い知った。だからもう、自分を誤魔化《ごまか》すことはできない。

何より、ここで逃げてしまっては、いままでの努力がすべて水の泡《あわ》になる。

(私は、もう逃げないって決めたんだから)

ぐっと唇を噛みしめ、夏樹はそらした視線を優へと戻《もど》す。

優も心が決まったのか、そこにはもう動揺した様子はなかった。

強い意志を宿らせたようなまなざしで、その瞳《ひとみ》に夏樹をとらえている。

「そんなの、俺じゃなきゃムリだろ」

顔をくしゃっとさせ、優は泣き笑いのような表情を浮かべていた。

（……俺じゃなきゃって、それって……）

ぼう然と見つめ返す夏樹の頭に、優の大きな手がぽんと置かれた。

夏樹が不安と期待に揺れる瞳で見上げると、そのままぐいっと腕《うで》をひっぱられる。

「えっ、わあ!?」

「……やっと、つかまえた」

優の震《ふる》えた声が、頭上から降ってきた。

頭の後ろと背中にはあたたかい手がふれていて、目の前には優の肩《かた》がある。

（こ、この体勢って、まさか……）

ようやく抱《だ》きしめられていることに気づき、涙で濡《ぬ》れた頬《ほお》がまた熱くなる。

（……あ、優の心臓の音）

夏樹の耳に優の鼓動が聞こえているように、優にも夏樹の鼓動が伝わっているだろう。こうして近くにいると、別々に鳴っている音がだんだんとまざっていくような気がした。

「なつき」

これまでに聞いた中で、一番やさしい声だった。

夏樹が小さくうなずくと、ぎゅっと優の腕の力が強くなる。

「こちらこそ、よろしくお願いします」

「……はいっ」

その日、夏樹は優とはじめて手をつないで帰った。

幼なじみとしてではなく、彼氏彼女として。

epilogue ～エピローグ～

玄関《げんかん》で靴《くつ》を履《は》き終えた夏樹は、ドアノブをつかんだり放したりを繰り返している。

傍《はた》から見れば謎《なぞ》の行為《こうい》だろうけれど、本人にとってはのっぴきならない状態だ。

(きょ、今日こそ、はじめての家デート……！)


週末のどちらかを一緒《いっしょ》に過ごす――。

夏休み以降は中断していた習慣が、いよいよ今日から再開されることになっている。

面と向かって約束したわけではないけれど、幼なじみとしての勘《かん》がそう告げていた。週末が近づくにつれ、お互《たが》いにそわそわしていたのがいい証拠《しょうこ》だった。


(できるだけのことは、したつもりだけど……)

奇跡《きせき》的にケータイのアラームが鳴る前に起きて、いつもよりも丁寧《ていねい》に髪《かみ》をアップにした。服も昨夜の内に選んでおいたし、姿見の前で何度となくチェックもした。

手土産《てみやげ》は、美桜とあかりと一緒につくったクッキーだ。

「大丈夫《だいじょうぶ》、なんとかなる！」

最後に両手で頬をぺちんと叩《たた》いて気合いを入れ、夏樹は隣《となり》の家を目指した。

今日こそ、例の言葉を優から聞くために。

♥ ♥ ♥ ♥ ♥

「陣中見舞《じんちゅうみま》いに来たよー」

「妨害《ぼうがい》しに来た、の間違《まちが》いじゃないか？」

勢いよくドアを開け放つと、部屋の主はまだベッドの中にいた。

夏樹から隠《かく》れるように毛布の下にもぐりこみ、こちらに背を向けるように寝返《ねがえ》りを打つ。

「ちょっと優、受験生が二度寝《にどね》なんてしていいの？」

「言っとくけど、俺が布団《ふとん》に入ったの二時間前だから！」

「えっ、また徹夜《てつや》？　頑張《がんば》りすぎもよくないよ？」

「うん、だから寝《ね》かせて！」


えー、と唇《くちびる》を尖《とが》らせた瞬間《しゅんかん》、夏樹はハッと我にかえる。

これではいままで通り、幼なじみの延長線だ。

夏樹はふるふると頭《かぶり》をふり、冷静になれと言い聞かせる。

（うまく話題を選ばないと、ずっとコントのままで終わっちゃう……！）


力ずくでも状況《じょうきょう》を打開してみせよう。

夏樹は気合いを入れ直し、ベッドに向かった。

えいやっと毛布をひっぺがし、そのままフローリングへと落としてしまう。

さすがの優も飛び起き、ぎょっとした顔でこちらを見上げた。

「ちょっ、なつき!?　なんだよ、頑張りすぎもよくないいんじゃなかったのか？」

「それもそうだけど、もっと大事な話があるのっ」


言ってから、夏樹はさーっと血の気がひいていくのを感じた。

うまく話題を選ばなきゃと反省していたにもかかわらず、さっそく正面からぶつかってしまうとは、我ながら予想外もいいところだ。

（もっと遠回しに言うつもりだったのに……）

とはいえ、どこか鈍《にぶ》いところのある優には、正面突破《とっぱ》でないと意味がないのかもしれない。

（……こうなったら、腹をくくるしかないッ）

いぶかしげな表情を浮《う》かべる優の肩《かた》をつかみ、夏樹はぐっと顔を近づける。

「は、はい!?　なつき、ほんとに何？」

「優は、私のこと……好き？」

次の瞬間、しんと沈黙《ちんもく》が落ちた。

優はぽかんと口を開けたまま、息もふれそうな距離《きょり》で夏樹を見上げている。

「……えっと、いまさらそれ言う？」

ようやく動いた唇から放たれた言葉は、夏樹の堪忍袋《かんにんぶくろ》の緒《お》をぶち切ってしまった。

深く息を吸いこみ、腹の底から声をだす。

「いまさらも何も、優から好きって言われたことないんですけど！」

再び沈黙が落ちた。

今度は優もさすがにムッとした表情だったが、見る見るうちに青ざめていく。

「やばい、マジか……」

「マジだよ！　私が告白したときも、『こちらこそ、よろしくお願いします』だったじゃん！」

「わああ、いちいち言うなよ！　やばい、はずかしさで死ねるっ」

頭を抱《かか》えてベッドに転がる優を、夏樹はじとーっと見下ろす。

「あのとき『やっと、つかまえた』とか言ってたけど、つまり、前から私のことが好きだったってことでしょ？　だったら告白予行練習したときに、そう言ってくれればよかったじゃん……」

この際だからと、ずっと胸の奥でぐるぐると渦巻《うずま》いていた想《おも》いをこぼした。

次の瞬間、優は腹筋を使って一気に体を起こした。

心外だと言わんばかりの表情で、夏樹に向かって反論してくる。

「はあ⁉　本番じゃなくて、予行練習だぞ？　フツーに考えたら、別に本命がいるって思うだろ？　軽く失恋《しつれん》してるときに、そんなガッツけるわけないっての」

苦しそうに、うなるように告げる優に、夏樹は何も言えなくなってしまう。

黙《だま》って見つめていると、ふっと優が自嘲《じちょう》めいた笑《え》みを浮かべる。

「それに……俺も、自分に自信をつけたかったんだよ。春輝は賞とるくらい映画監督《かんとく》として才能あるし、もちたもすごいシナリオ書くのに、俺には何もなかったから……」

（……うそ、優もそんな風に思ってたんだ）

最初に感じたのは、純粋《じゅんすい》な驚《おどろ》きだった。

そして、自分のことにいっぱいいっぱいで、まるで気づけなかったことに悔《くや》しくなる。

「でもさ、決めたんだ。俺は俺で、プロデューサーを目指そうって」

ふっきれたように語る優の表情は、言葉以上に晴れ晴れとしていた。

夏樹はいろんな感情が一気に押し寄せ、ただ黙ってうなずくことしかできない。

「あーあ、また泣きそうになってる」

ベッドから立ちあがった優の手がのびてきて、あやすように頭をなでられる。

仕方ないなあと苦笑《くしょう》するその顔は、どこかうれしそうにも見えた。

「卒業式の前日に、生徒会主催《しゅさい》で上映会やるんだけど、俺もいろいろ手伝ってるんだ。連動企《き》画《かく》とかも考えてるから、楽しみにしててよ」

「うん……っ」

涙《なみだ》をこらえ必死にうなずいていると、髪をなでていた優の手が宙に浮いた。

そして次の瞬間、腕《うで》をひかれ、夏樹は優の腕の中に閉じこめられていた。


「えっ？　優？」

問いかけに答える声はなく、優の腕の力が強くなった。

あの放課後の教室のときのように、お互《たが》いの心臓の音が聞こえてくる。

夏樹だけではなく、優の鼓動《こどう》も大きく脈打っていた。


「……それとさ……」

「う、うん」

緊張《きんちょう》して声が裏返ってしまい、夏樹は顔から火が出そうになる。

優もこらえきれなくなったのか盛大に笑いだし、はりつめていた空気がやわらかくなった。

「やっぱ、こういうほうがらしいよな」

何がという夏樹の問いかけより早く、優が笑顔で言う。


「好きだよ」

「……ふ、不意打ち禁止！　もう一回、きちんと言って」

「えー？　当分ムリだよ、心臓に悪い」

「でしょ？　そんな緊張感《きんちょうかん》に打ち勝って、私は告白したんだよ」

「はいはい、感謝してますよっと」

「全然気持ちこもってなーい！」

そのあとはもう、いつもと変わらない会話が続いた。

勉強机の引き出しの中では、彼氏から彼女に贈《おく》られるのを待っているそろいのリングが、二人のにぎやかな声に耳を澄《す》ませている。

comments

HoneyWorksメンバーコメント!

キュンキュン
してね○
←たまご

ゴム

Gom

告白予行練習小説化ありがとう
ございます。

ヤマコとPVを話し合ったのが懐かしい…

今後ともHoneyWorksを宜しくです!!

shito

shito

小説化ありがとう
ございます!!
自分も夏のコンクールに
向けて、美術室で
友人達と過ごした
学生時代を
思い出しました。
なつかしい…。
小説を読んで
キュンキュン楽しんで
いただけたら
嬉しいです!!
ヤマコ
ヤマコ

俺だってあんな風に……

キュンキュンしたいです…… zzz.

みなさん

よろしゅう～～!!

Oji

告白予行練習、
小説化ありがとうございます!

おじさんもおばさんもお姉さんも赤ちゃんも、
これを読んで一緒にきゅんきゅんしましょう…!

なっちゃんかわいい…

ろこる

WHO'S NEXT?

BEANS BUNKO

「告白予行練習」の感想をお寄せください。
おたよりのあて先
〒102-8078　東京都千代田区富士見1-8-19
株式会社KADOKAWA　角川ビーンズ文庫編集部気付
「HoneyWorks」・「藤谷燈子」先生・「ヤマコ」先生
また、編集部へのご意見ご希望は、同じ住所で「ビーンズ文庫編集部」
までお寄せください。

告白《こくはく》予《よ》行練《こうれん》習《しゆう》

原案／HoneyWorks　著／藤谷燈《ふじたにとう》子《こ》

角川ビーンズ文庫　BB501-2　18387

平成26年2月1日　初版発行
平成28年4月20日　21版発行

発行者――――三坂泰二
発　行――――株式会社KADOKAWA
東京都千代田区富士見2-13-3
電話(03)3238-8521(カスタマーサポート)
〒102-8177
http://www.kadokawa.co.jp/
印刷所――――旭印刷　製本所――BBC
装幀者――――micro fish

ISBN978-4-04-101203-1 C0193 定価はカバーに明記してあります。

角川ビーンズ文庫
スキキライ
超人気!!
キュンキュンボカロ曲制作チーム♪
HoneyWorks楽曲が
物語となって登場!!
原案/HoneyWorks
著/藤谷燈子
イラスト/ヤマコ
大好評発売中!!
illustration by Yamako
© Crypton Future Media, INC. www.piapro.net piapro

原案／HoneyWorks
著／藤谷燈子
イラスト／ヤマコ
新たな恋の物語が始まるよ――！
シリーズ第4弾
『告白予行練習
今好きになる。』
は2015年7月1日発売予定！

第16回
角川ビーンズ小説大賞
原稿募集中!
Web投稿
受付
はじめました!
ここが「作家」の第一歩!
賞金 大賞100万円
優秀賞30万
奨励賞20万 読者賞10万
締切 郵送▶2017年3月31日(当日消印有効)
WEB▶2017年3月31日(23:59まで)
発表 2017年9月発表(予定)
審査員 ビーンズ文庫編集部
応募の詳細はビーンズ文庫公式HPで随時お知らせします。
http://www.kadokawa.co.jp/beans/
イラスト/宮城とおこ